Takumi Yamazaki
PROJECT OF LIFE

SANCTUARYBOOKS

人生のプロジェクト

山﨑 拓巳
Takumi Yamazaki

期限の決められた物事は
すべてプロジェクトだ

二人の男がレンガを積んでいた。

「君たちはなにをしているんだ？」とたずねると、
一人は「レンガを積んでいるんだ」と答えた。
もう一人は「教会を造っているんだ」と答えた。

そして二人の未来は、まったく違うものになった。

Prologue

人が働くのには目的がある。

自分がただ食べていくためか。

愛する家族を養うためか。

出世や名誉、
より贅沢な生活を手に入れるためか。

それとも働くこと自体、
楽しいと思っているからか。

目の前のことばかりに気を取られていると、
いつの間にか「虫の目」になる。
虫には木しか見えないが、
鳥には森が見えている。
「鳥の目」を使って
いちど空から自分の姿を確認してみよう。

自分がめざしている目的地と、
歩いている方向は一致しているだろうか？

目的地にたどり着くための、
装備と情熱は持っているだろうか？

そもそもその目的地は、
あなたが本当に望んでいる場所だろうか？

人生はひとつの

誰もがいくつもの目的を持ち、
しかも使える時間は限られている。

毎日を楽しむためには、
目標までの期限を決めてしまうことだ。
期限が決まれば予定が組める。
予定が決まれば、今やるべきことが見える。

夢をかなえるまでのプロセスは単純だ。
間に合わないことはあっても、
できないことはなにもない。

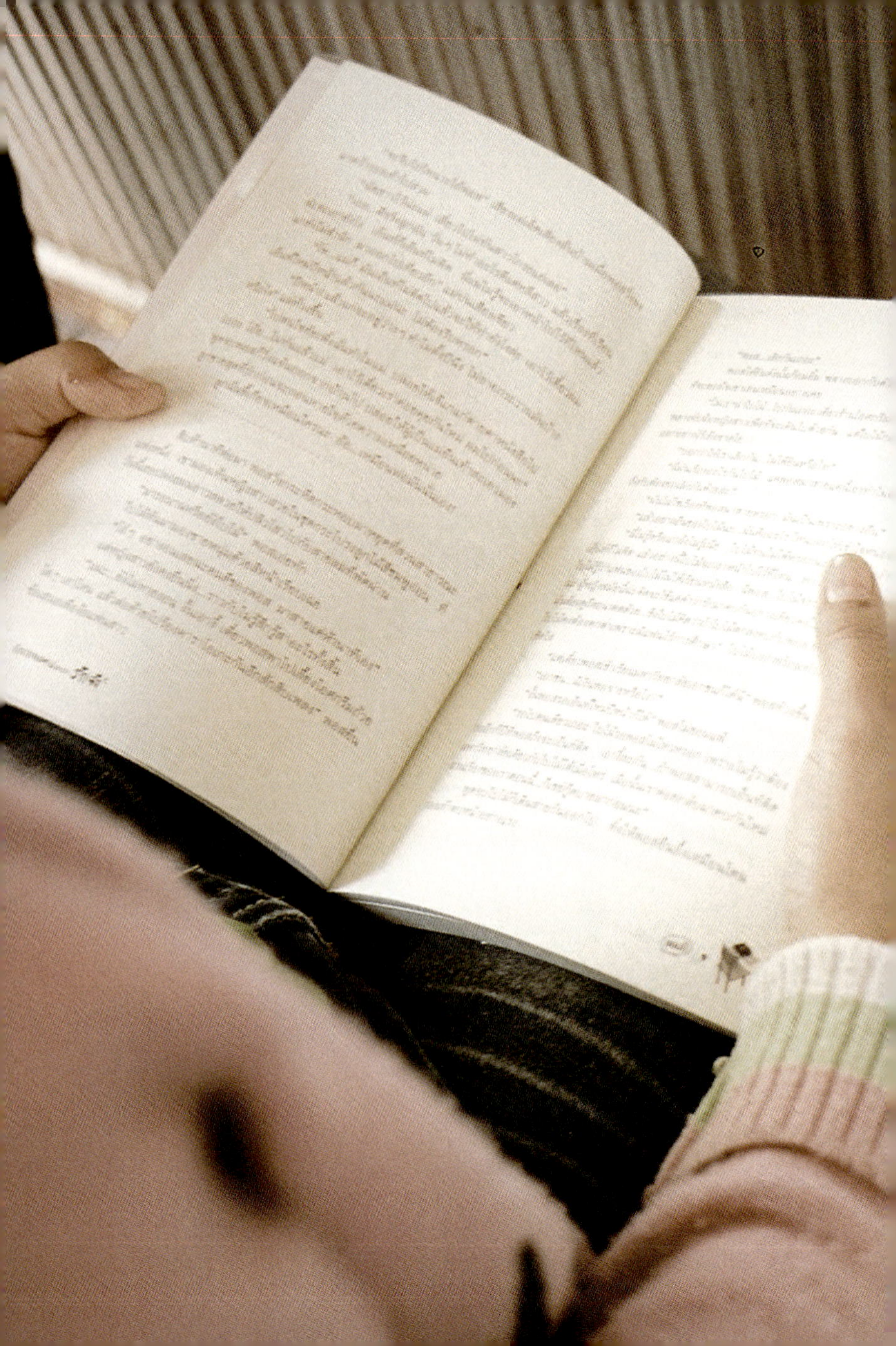

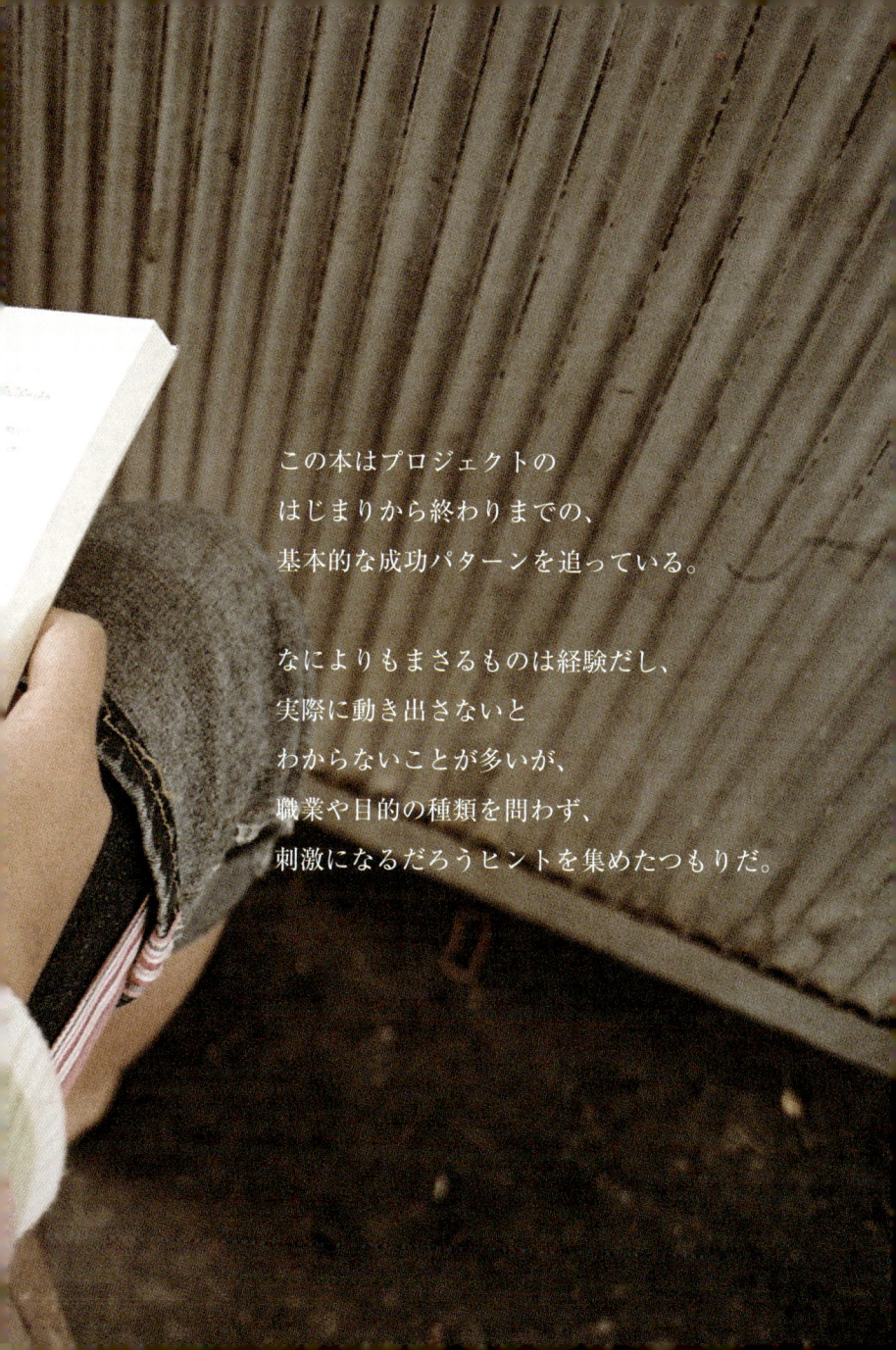

この本はプロジェクトの
はじまりから終わりまでの、
基本的な成功パターンを追っている。

なによりもまさるものは経験だし、
実際に動き出さないと
わからないことが多いが、
職業や目的の種類を問わず、
刺激になるだろうヒントを集めたつもりだ。

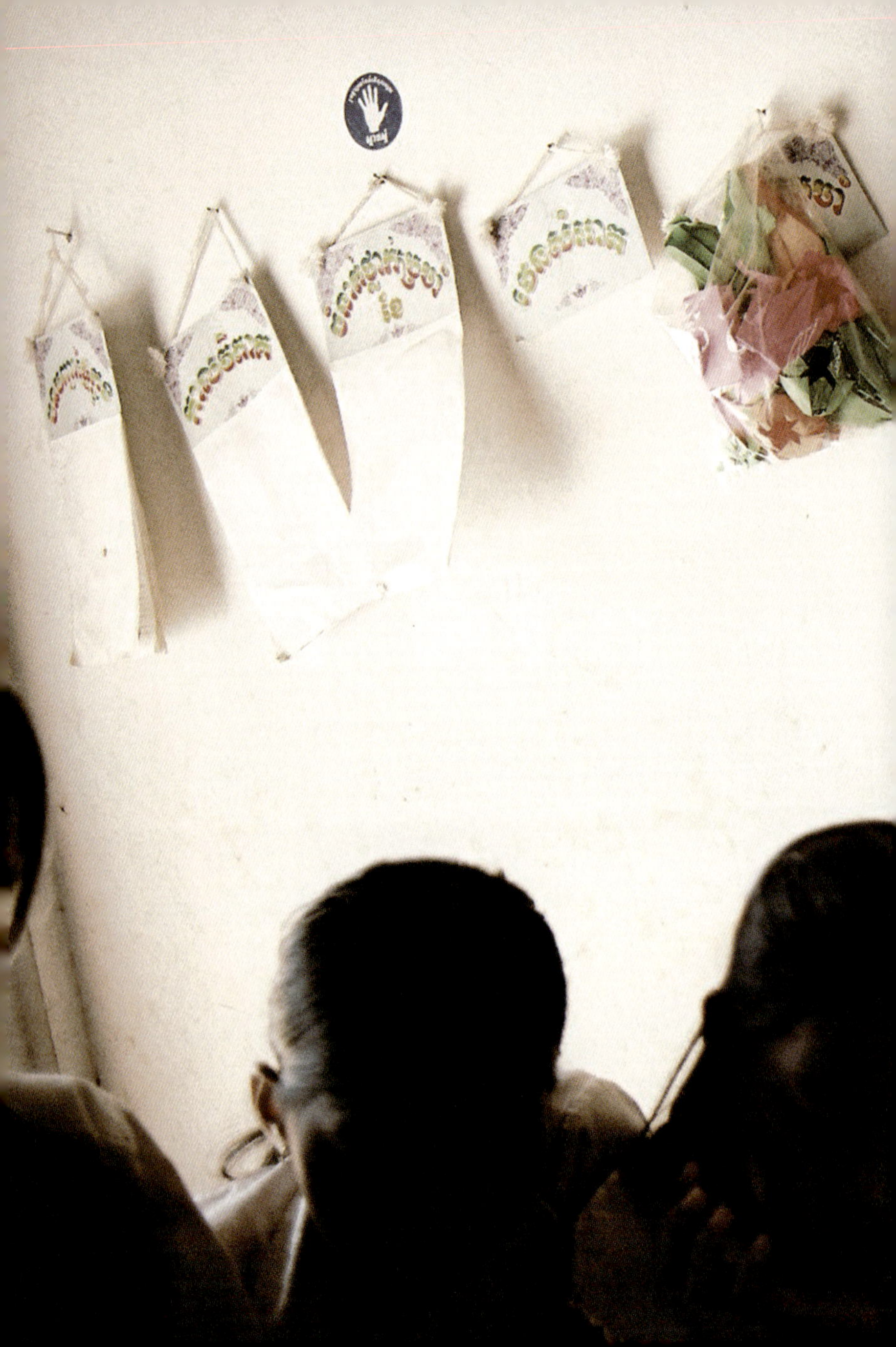

人は「今より悪くなる」ことと同じぐらい、
「今より良くなる」ことに対して、
恐怖心を抱くようだ。

まずは自分がほんの少しだけ変わることを、

許してあげてほしい。

根拠も自信

も必要ない。

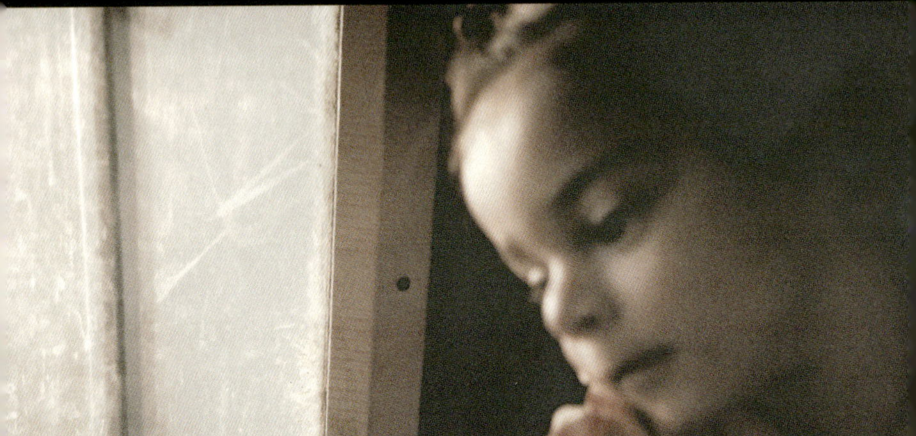

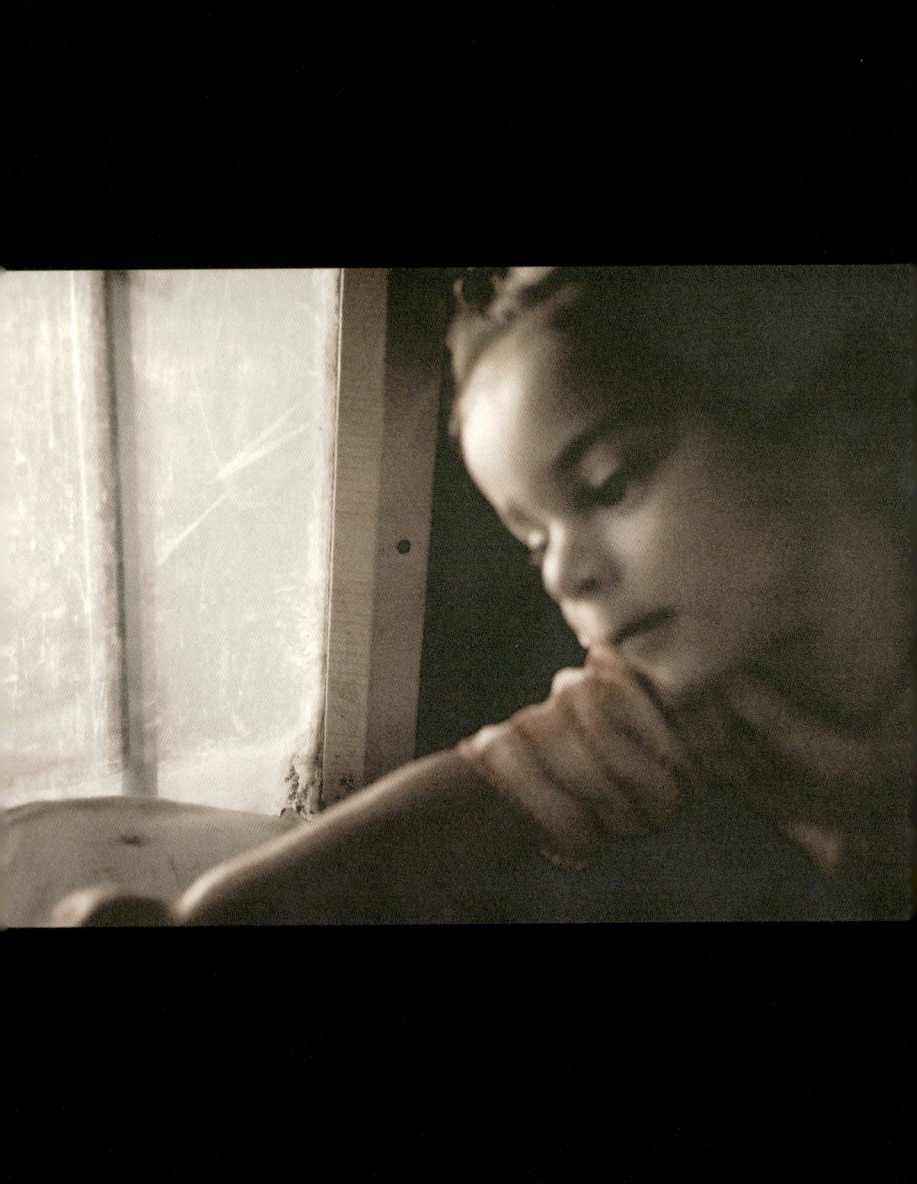

すごいことは、
いつもあっさり起きるのだから。

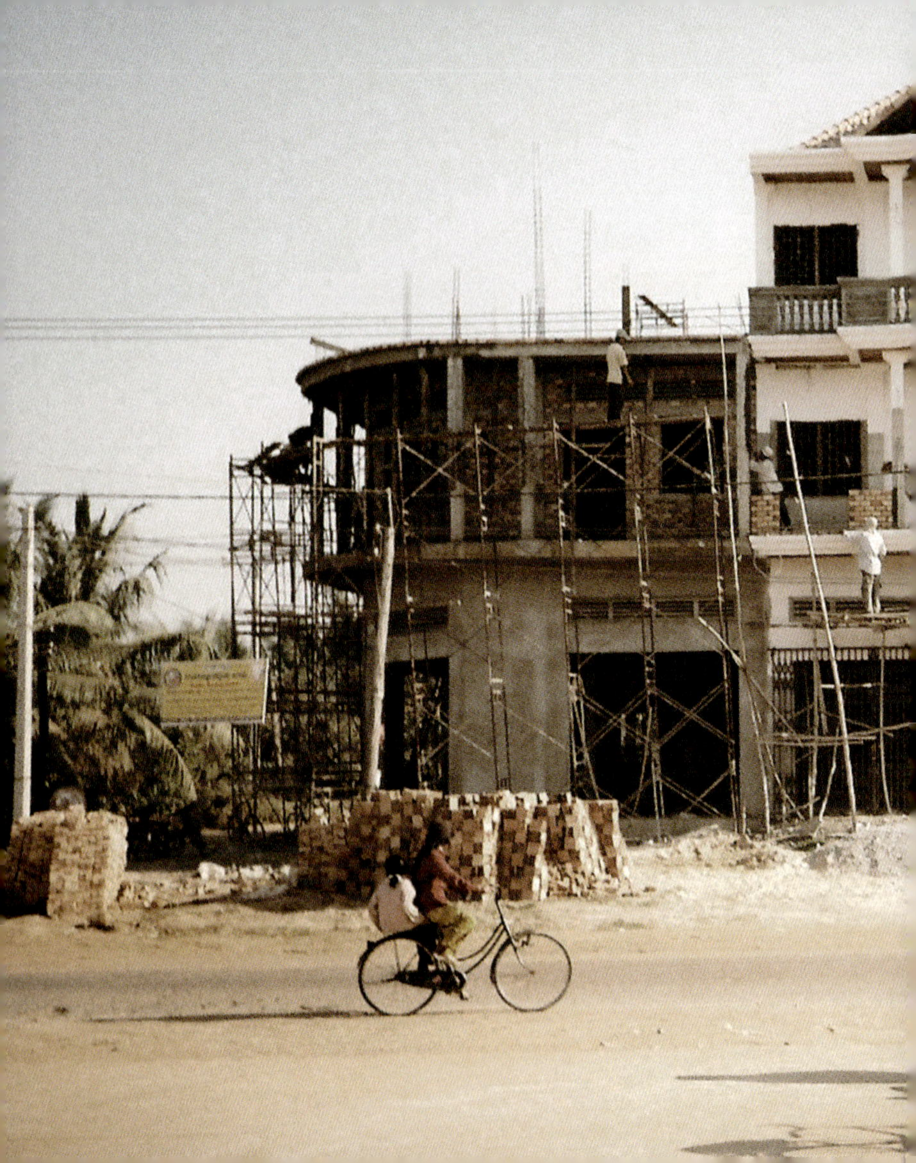

PROJECT OF LIFE

B E F

REE

自由になる。それはなにかから逃避することではなく、自分が自分のボスになることだ。

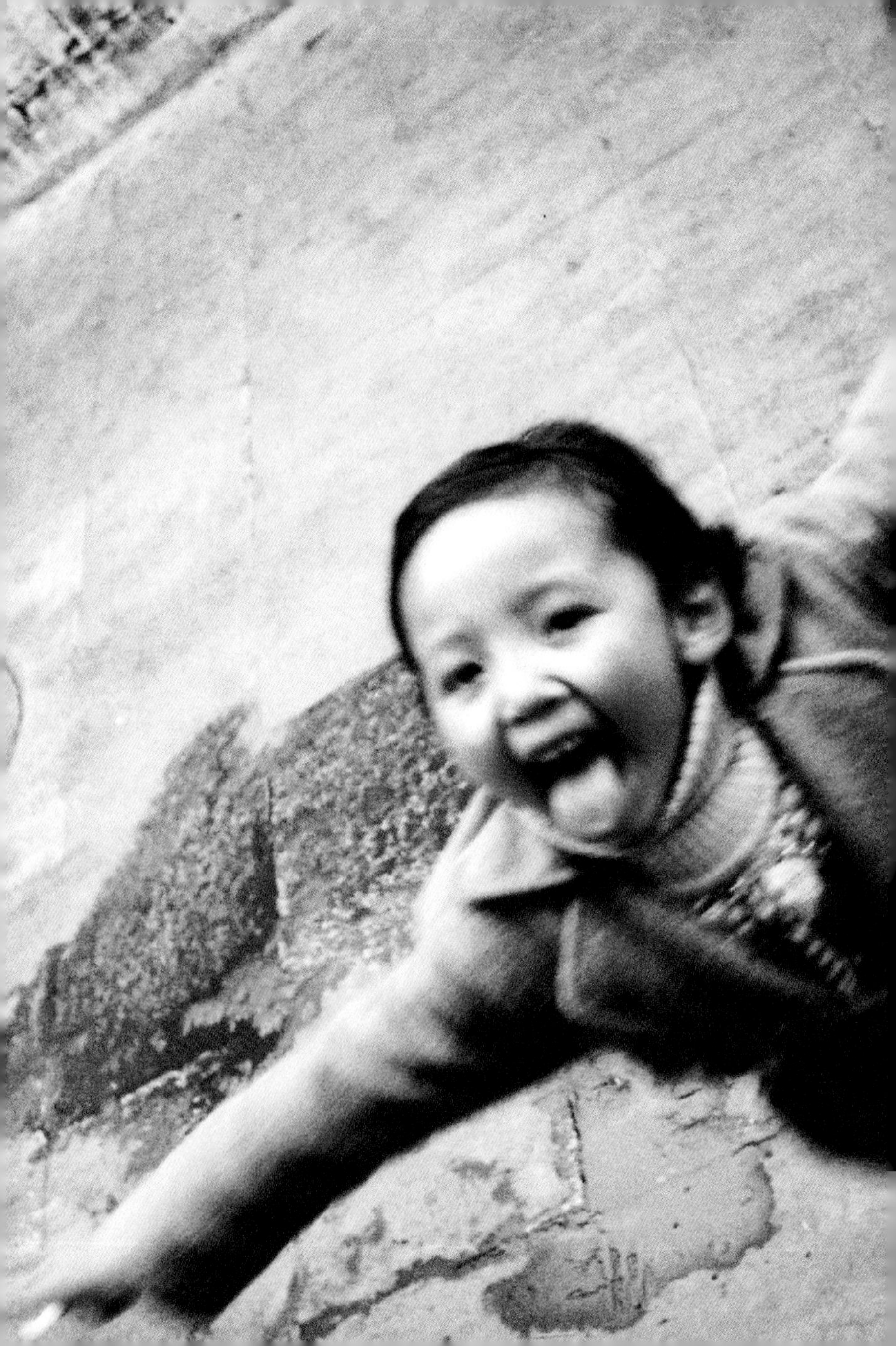

PROJECT OF LIFE
CONTENTS

CHAPTER 1
目標
What do you want to do?

PAGE 50

CHAPTER 2
段取り
Stairway to heaven

PAGE 86

CHAPTER 3
実行
How do you move?

PAGE 146

CHAPTER 4
検証
What do you learn from the result?

PAGE 174

PROJECT OF LIFE 【壱】

目標

What do you want to do?

CHAPTER1 なにをめざすのか。

WHAT DO YOU WANT TO DO?

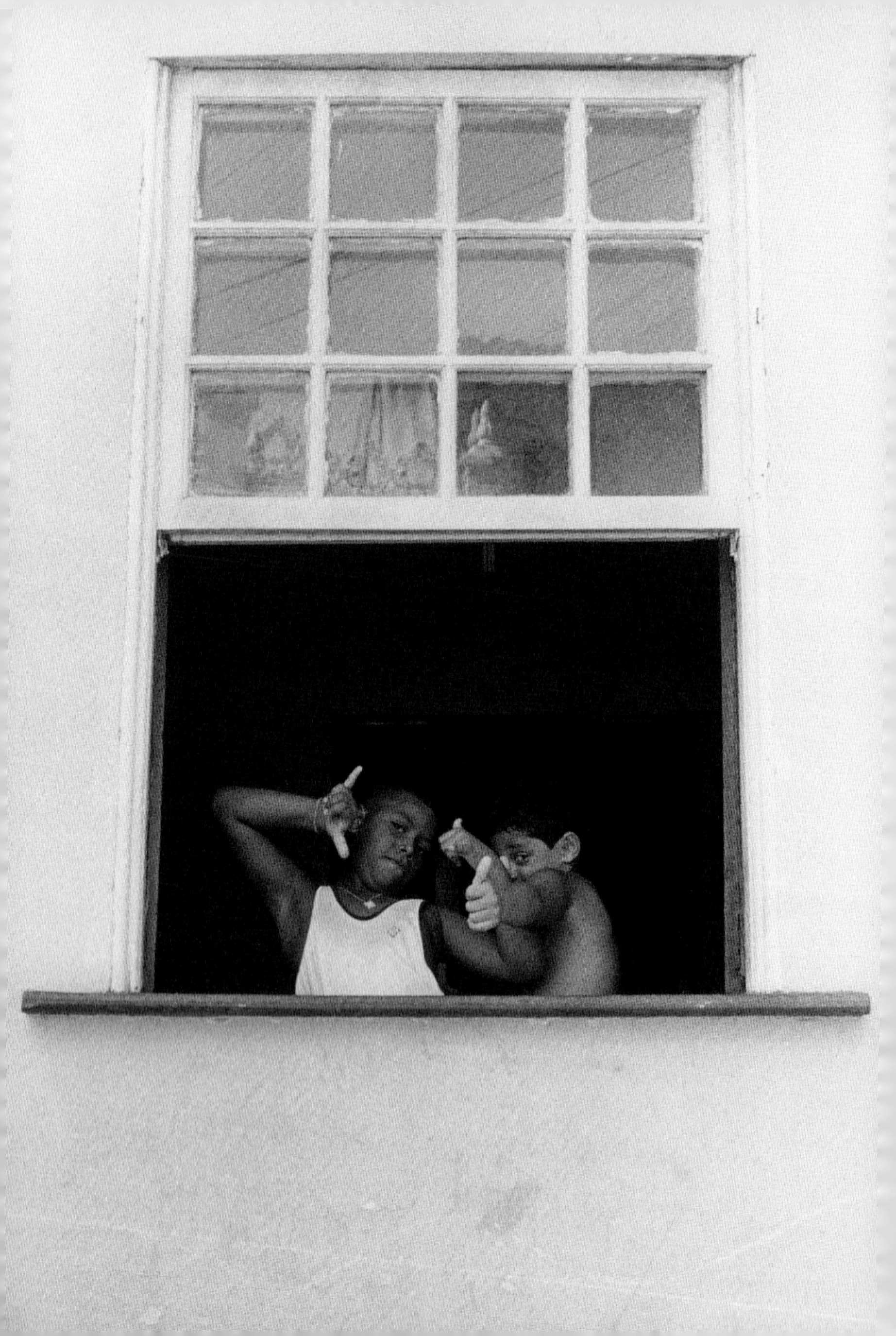

なにをめざすのか。
WHAT DO YOU WANT TO DO ?

ぼくは小さい頃よく、家業だった真珠養殖の仕事を手伝っていた。貝に付いた海藻などを出刃包丁で外すという単純な作業で、決して好きになれるものではなかった。

あるとき母親に頼み込み、ストップウォッチを買ってもらった。「10分間で、いくつの貝を処理できるか?」というチャレンジをするためだ。いろんな方法を試しては、どれが一番効率いいかをチェックした。

大変なのにダメな方法もあれば、楽なのにうまくいく方法もあった。

それらを自分の中でリスト化し、最小努力で最大結果を生むマニュアルにどんどん近づけていった。

没頭していると、時間はすごいスピードで進み、気づいたら一日が終わっている。

素敵な目標を立てると、仕事はゲームになるとわかった瞬間だ。

CHAPTER 1
WHAT DO YOU WANT TO DO? **1**

人生の主人公になれ。

$3 + 8 = ?$
$100 × 27 ÷ 90 + 30 − 60 = ?$

この問題が解けるだろうか。
正解はもちろん「11」と「0」だ。答はたったひとつ。
問題をすばやく計算し、間違えずに答にたどり着けるかどうか。
これは記憶力と反復練習によって磨かれる能力だ。

　　　　　　　　100 ＝ ?
　売り上げを 30％上げる ＝ ?
　　〆切に間に合わせる ＝ ?

今度はどうだろうか。もちろん正解は無数にある。
答がたくさんある問題の解き方は、学校では教えてくれない。

大切なのは、答の数と個性。
限られた時間内に、できるだけ多く、できるだけユニークなアイデアを洗い出すこと。

アイデアは数が勝負になる。

当たり前でもいい。

思いついたことはなんでもたくさん出そう。

数を出せば出すほど、より個性的なアイデアが生まれやすくなる。

「１００」を導き出すためにはどうすればいいか。

「１＋９９」「２＋９８」…があり、「５０＋５０」もある。

足し算に飽きてきたら、掛け算や割り算を使いはじめるだろうし、

そのうちルートやシグマ、ログを使う人もいるかもしれない。

量や数こそが創造性やオリジナリティを生み、

あらゆる仕事において、それらは"価値"だとみなされている。

? = ?

最後にこの問題はどうだろう。
問題も解答も用意されていない。つまり自分で問題を設定し、その答を模索するしかない。
これが自分の人生を、自由に生きるための、
ただひとつの方法である。

自分の人生を楽しむためには、まず「なにから解放されたいか」「どうなったら嬉しいか」を確認することだ。
自分はなにがしたいのか？　どうなりたいのか？　ココロがおどり、ワクワクさせてくれるものはなにか？
いつも自分自身に聞き続けることで、目的＝ビジョンは自然と見えてくる。

夢は「知識」だ。
知れば知るほど選択肢が増え、未来のビジョンが鮮明に溢れ出す。
人の夢にも耳を傾け、「自分にはどうか？」を考える。
そこからヒントを得ることもある。
かすかなときめきに対して敏感でいよう。

本や雑誌、映画、街の風景、仲間との会話などから、ココロが反応する情報を集め、ノートやパソコンにどんどん記録していこう。ビジョンとはビジュアル化された未来の予想図。絵や写真など、視覚に訴えかける素材が多いほど、イメージがハッキリしてくる。

自分との会話も重要になる。
1日5分間でもいい。ノートを広げて、ひとりで考える時間を持とう。
もっとも贅沢な時間だ。
ただ思いつくままペンを走らせ、自分の中にある「小さなココロの声」を外に出してあげよう。思いを文字にするうちに、自分の中のまっすぐな欲求が見えてくる。

欲求は人に話せば話すほど、頭の中で整理がついていく。

失速し消滅するものもあれば、誰かの共感によって倍増するものもあるだろう。

できる、できないは関係なく、とにかく「聞いて！聞いて！」のテンションで。

熱い想いが協力者を呼び、動き出すための環境が整っていくこともある。

WHAT DO YOU

WANT TO DO?

CHAPTER1 2
WHAT DO YOU WANT TO DO?

どうなれば最高なのか？

ブレスト＝常識をぶっ壊す。

限界を決めず、思いつくかぎり、「これってよくない?!」「こうなったらカッコいい」「あれをマネしてみるのは？」というアイデアを出し合おう。

相手の話を途中で否定しない。資金が足りない、技術が足りない、時間が足りないといった「ない話」はとりあえず無視する。立場や年齢、経験、声のでかさも関係ない。アイデアは数が重要で、質は問わない。「それ、いいね！」「お〜！」という盛り上げムードの中で、相手の話に乗っかり、じゃんじゃんふくらませることに徹する。

いろんな人々のアイデアに耳を傾けることで、自分がこのプロジェクトに対してどんな思いを抱いているかが見えてくるだろう。

※ブレスト＝ブレインストーミング。自由討論方式で多くの意見を出し合い、独創的なアイデアを引き出す集団思考法。

CHAPTER 1
WHAT DO YOU WANT TO DO? 3

誰のためのプロジェクトか？

プロジェクトには必ず依頼主がいる。

依頼主は通常、会社の上司やお客さん、家族や仲間だったりするが、自分のために動くプロジェクトはもちろん、自分自身が依頼主である。

プロジェクトとは依頼主の欲求を満たすためのものであり、スケジュールを守ることは決して一番ではない。

「誰のどんな欲求を満たすのか？」がすべての判断基準になる。

それさえハッキリさせておけば、途中で道に迷ったり、選択を間違うこともない。

あるイベントの準備中に、スタッフ同士の意見が食い違い、そのままケンカに発展することがある。

でもそれが＜スタッフの親交を深めるために企画されたイベント＞の準備中であれば、そのケンカはなんの意味も持たないことがわかる。

目標は追いかけるものであって、追いかけられてはいけない。

CHAPTER 1　4
WHAT DO YOU WANT TO DO?

プロジェクトのゴールはどこか？

目標はシンプルな「事実」にしよう。

「親孝行をする」はイメージにすぎないが、「両親を年に1回、海外旅行へ連れていく」は具体的な事実だ。
「会社の雰囲気を明るくする」はイメージだが、「社員全員に笑顔で挨拶をさせる」は事実。

頭に描かれた「イメージ」は
明確な「事実」にすることによってはじめて目標になる。
事実は人によって、解釈がわかれることがない。

一体どこがゴールなのか？

「金持ちになりたい」といっているだけでは、決して金持ちにはなれない。
そこには終わりがないからだ。
「お金がもっとほしい」と願い続けるよりも、「月収を5万円アップさせる」と決める。
「もっと自分の時間がほしい」と願い続けるよりも、「あと2日休みを増やす」と決める。

漠然としたイメージでしかない欲求を、具体的な事実に置き換えることで、なにをどうすればいいのかがわかる。

どこまでやるのか？

目標には範囲が必要だ。
「やること」を決めるなら、
同時に「どこまでやるのか？」も決めた方がいい。

「自分のお店を持ちたい」という欲求があるとするならば、
それは果たして「店を出せばゴール」なのか、
「黒字になればゴール」なのか、
「２号店が完成すればゴール」なのか。

富士山にのぼろう、じゃあいまいすぎる。
五合目までのぼるのか。頂上までのぼるのか。
めざす場所によって段取りと装備が変わってくる。

WHAT DO YOU

WANT TO DO?

目標 CHAPTER 1

CHAPTER1
WHAT DO YOU WANT TO DO? **5**

目標をどこに設定するか？

成功する方法と、成功し続ける方法は違う。

目標を下回るのはもちろん、目標を「大きく上回って」もいけない。
結局、どちらも段取りを想像しきれていなかった証拠だ。
偶然の成功は、偶然の失敗と同じである。
たとえ一度成功できたとしても、成功し続けることは難しいだろう。

自分のプロジェクトをコントロールしやすくするために、
A・B・Cという3段階の目標を決めておいた方がいい。

もしもかなったら、小躍りするほど嬉しいのがA目標。
…クリアできたら最高。

ちょっとがんばれば達成できるかもしれないのがB目標。
…ここをめざす。

絶対いける自信があるのがC目標。
…なにがあってもクリアしたい。

C目標は自分を責めたり、途中で投げ出したくならないための目標だ。
これを達成することで、自尊心を守り、次につなげることができる。

幸運はひとり、ひとり順番にやってくる。
うまくいくときは、誰がやってもびっくりするくらいうまくいく。
うまくいかないときに、どれだけ前に進めるか、
その合計こそが「人生の差」になる。

目標 CHAPTER 1

CHAPTER 1
WHAT DO YOU WANT TO DO? **6**

自分のルールはなにか？

スタイル（理念）があるから、迷わない。

休むのは自由だが、納期だけは守る。
スピードは追求するが、仕事は雑にしない。
無理はするが、無茶はしない。

自分の本能から生まれた「やりたいこと」と、
自分が長年かけて作り上げた「スタイル」を一致させる。

一度決めたルールは、あとで例外を認めない。
黒字を出すと決めたのに「赤字が出たけど、宣伝になったから」とか、納期を守ると決めたのに「納期は守れなかったけど、いい仕事ができたから」といった言い訳は許されないのだ。

CHAPTER 1
WHAT DO YOU WANT TO DO?
7

なにが躊躇させるのか？

やり方がわからない。
そこで立ち止まっていても状況は変わらない。

目標に向かうために、なにから手をつければいいのか、
わからないこと自体は問題ではなく、
わからないという問題を「保留していること」が問題だ。

頭でいくら考えても答は出ない。
どんな不安を抱えているのか、紙に書き並べて把握すればいい。
正体さえ明らかになれば、不安はすでに半分くらい解決したことになる。
あとは経験者に聞くか、本かインターネットで調べるか。
答は外に求めればいい。

もしも不安要素がハッキリしなければ、
どうすればハッキリするか、
いつになったらハッキリするか、
誰に聞けばハッキリするかを考え、
それをスケジュール帳に書き込もう。

書いたら、直面する日がくるまでその問題のことは忘れておく。
不安を抱えていると、目先のことに気持ちよく取り組めないからだ。

社会で生きている人間は、なにかに束縛されている。
しかしその束縛が、
あなたの行動を制限しているとは限らない。

小さな象をつなぐ杭と、
大きな象をつなぐ杭は、まったく同じ杭だという。
子象のころに「逃げても無駄だ」と思い知るから、
大人になっても、逃げようと思わなくなる。
できないと思い込んでいるから、力があるのにやろうともしないそうだ。

あなたも過去の束縛が、根深く記憶に残っているのかもしれない。
まずは実際にやってみることだ。
ひとつの小さな達成が、忘れかけていた自信を取り戻すきっかけになるだろう。

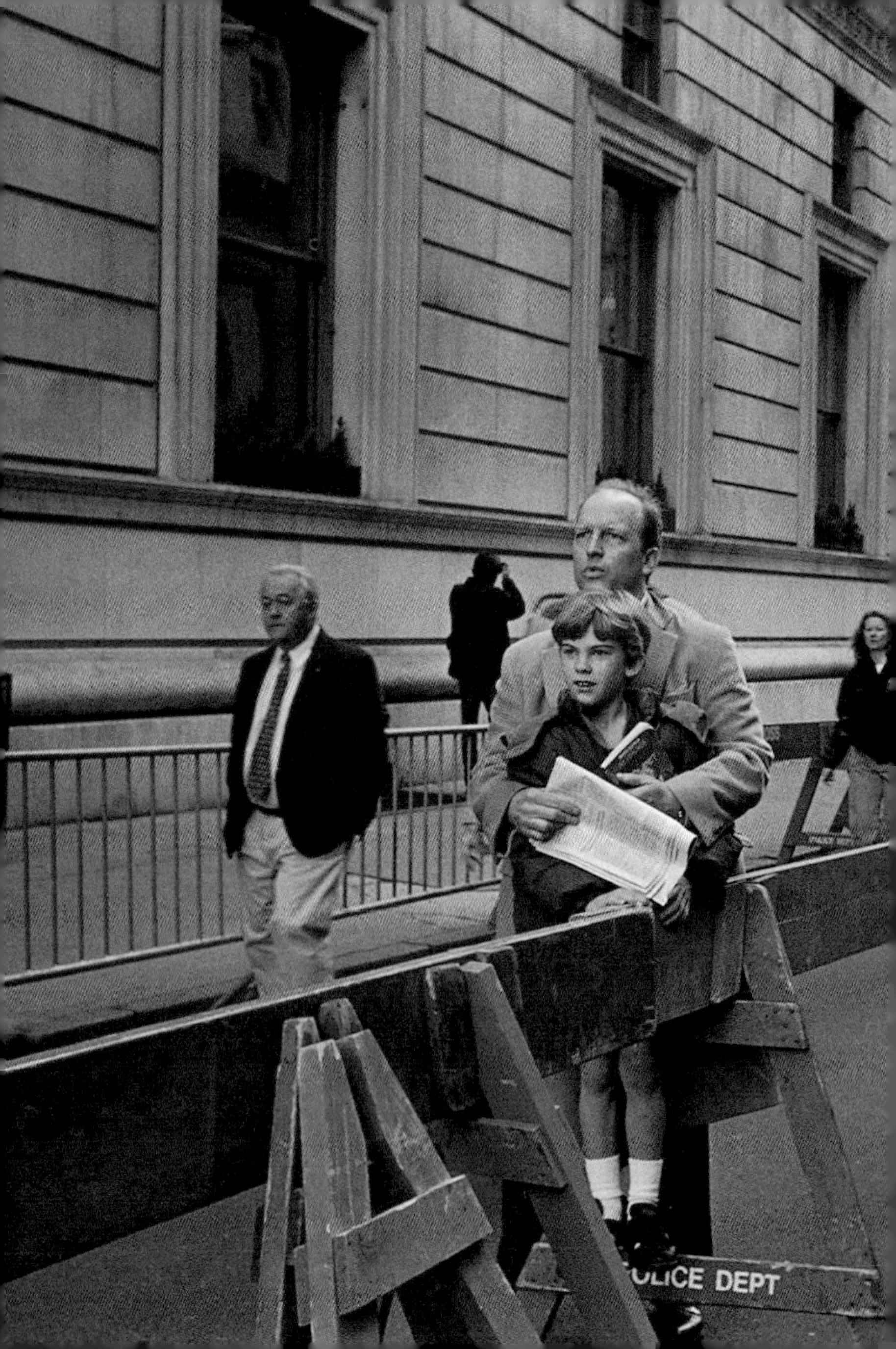
OLICE DEPT

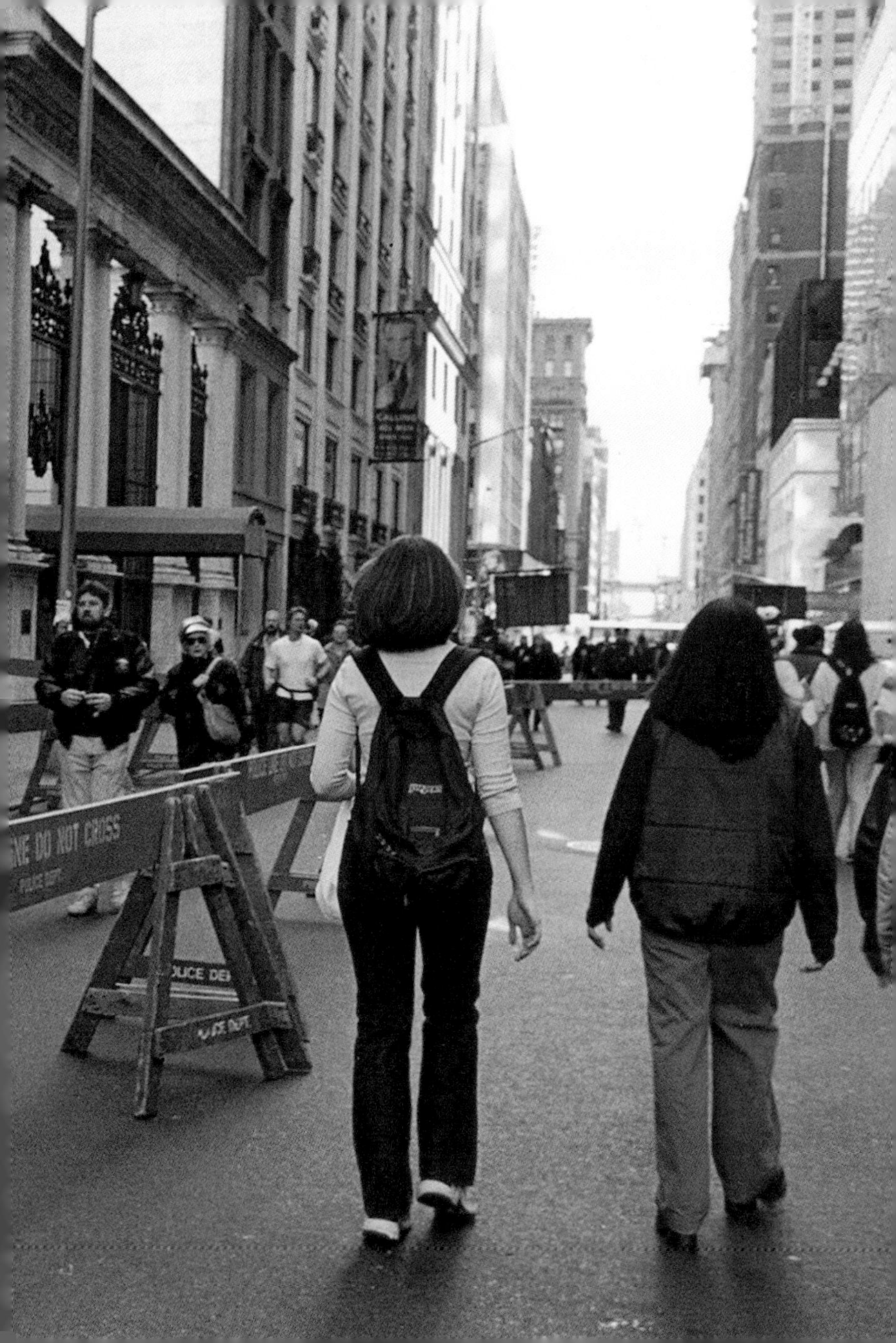
DO NOT CROSS

PROJECT OF LIFE 【弐】

段取り
Stairway to heaven

CHAPTER2　　どんなふうに進めるか。

STAIRWAY TO HEAVEN

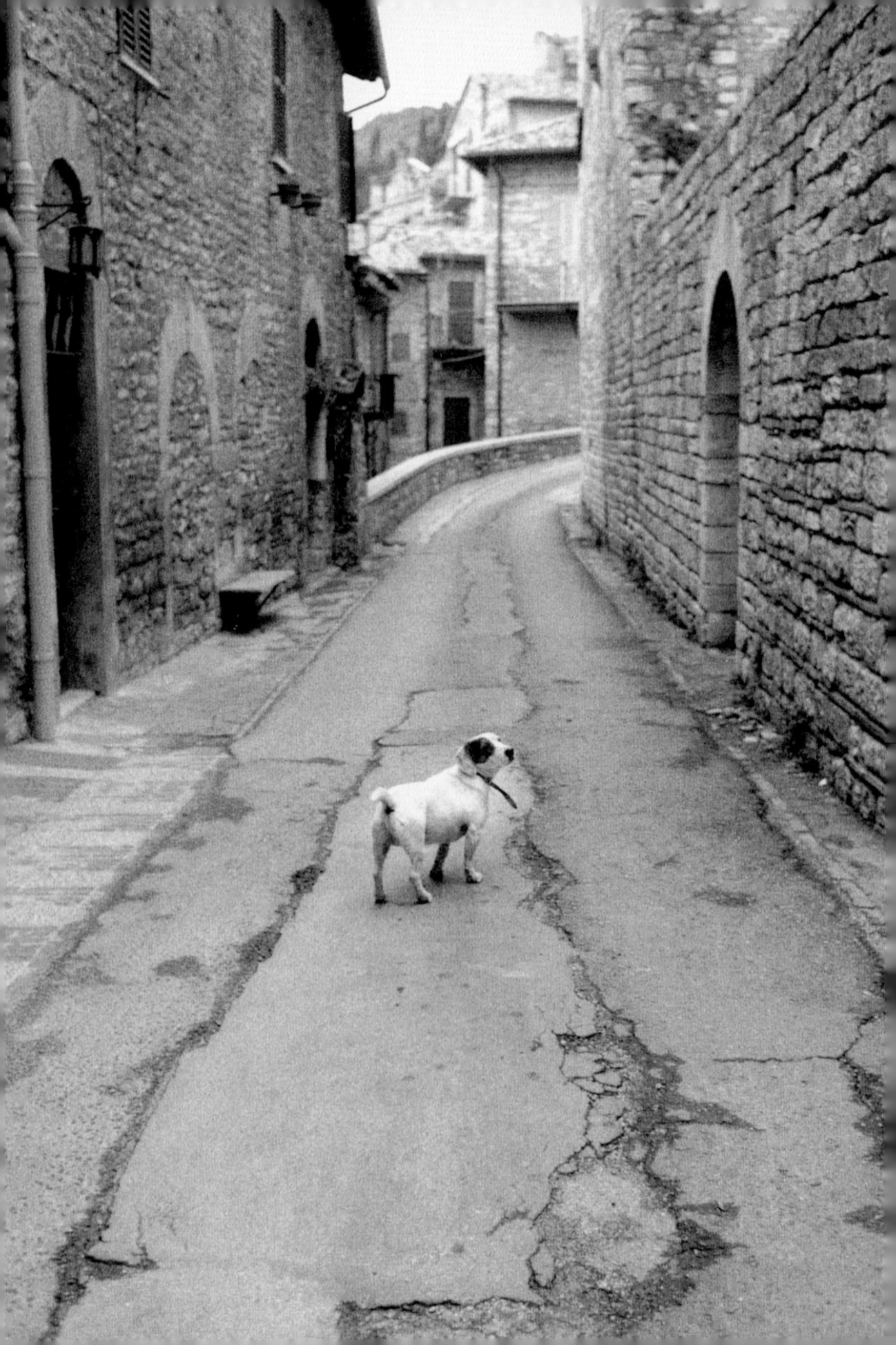

どんなふうに進めるか。
STAIRWAY TO HEAVEN

期限内に、できることを、できるペースで。

段取りとはゴールまでの階段を作ることだ。

雲の上にあるような目標も、一段一段をのぼれる高さに設定すれば、やがてたどり着くことができる。

将来こうなりたい。

そのためには今年中にこうなりたい。

今年そうなるためには、今月中までにこうなっておきたい。

それならば今日はこれをやっておくべきだ。

段取りによってデザインされた小さな一日が、奇跡のような未来につながっている。

CHAPTER2
STAIRWAY TO HEAVEN

1

運や偶然に頼るな。

やることを洗い出せ。

失敗する原因のほとんどは、「ゴールまでの段取り」が見えていないのに着手してしまうことだ。

行き当たりばったりだと、ほとんどの場合はうまくいかない。
偶然うまくいくこともあるが、その偶然が重なる保障もない。

つねにのぞんだ結果を出し続けるには、運や偶然に頼らないことだ。
不敗の方程式は「ゴールまでに必要な作業」を洗い出すこと。
できるかぎり、思いつくかぎり、時間が許すかぎり。
作業を洗い出せば出すほど、ひとつの階段が小さくなり、
手に届きそうもなかったゴールがリアルに見えてくる。

やることを洗い出すことによって、自分が安心できるというメリットもある。
いろいろ悩むことなく、「あとはこれだけやっておけば必ず達成できる」という安心感だ。
その確信こそが人を全力にさせてくれる。
プロジェクトを成功させるために、これ以上大事なことはない。

洗い出しのメリット

1

やるべきことの抜け落ちをふせぐことができる。

2

プロジェクト全体が見通せるので、ひとつの作業が、
他の作業にどういう影響を与えるのかがわかる。

3

何人かで動く場合、作業を分担しやすい。
最高の人材を、最高の場所に。

4

予算と仕事量、所要時間を予測しやすい。

5

人手や予算がほしいとき、人を説得しやすい。

CHAPTER2
STAIRWAY TO HEAVEN

ハッピーエンドから逆算しろ。

プロジェクトの最後には
「自分自身が満足したい」という絶対の目的がある。

だからまずはひとりで「パーフェクトに成功している絵」を思い描き、そのときの自分の感情を先取りしてみよう。
それを得るためには、どれくらいのインパクトが必要だろうか。そのインパクトを与えるためには、どんな現象を起こす必要があるだろうか。それほどの満足を手に入れるには、一体なにが不足しているのか。自分の"足りない感"をたしかめておく。

その気持ちで、やるべきことを考えてみる。
頭の中で何度もリハーサルすればいい。プロジェクトが成功し、満足げに笑っている自分の姿からビデオを巻き戻し、繰り返し見ている感覚だ。
時間軸に沿って考えていくうちに、「お！あれもやらなくちゃ」という気づきが溢れ出してくる。
それをどんどん紙の上に書き出し、リスト化していく。
わからないことを調べたり、詳しい人にたずねるというのも「やるべきこと」のひとつ。今わからないことは問題ではなく、重要なのは「なにがわからないのか？」を洗い出しておくことだ。

CHAPTER2
STAIRWAY TO HEAVEN
3

やるべきことから、
モレとダブリをなくせ。

ひとりで想像し、調査し、誰かとブレストをすることにより、多くの「やるべきこと」を洗い出した。
しかしそこにはまだ
足りない作業＝モレ
似たような作業＝ダブリ
が混在しているはずだ。

実際に動き出す前に、その「モレとダブリ」を徹底的に排除しておくことが、プロジェクトをスムーズに動かすための絶対条件になる。

例をあげよう。これはある人が考えた自分の会社の問題だ。

会社の問題

1・トイレが汚い。2・耐震工事をするくらいなら、ビル自体を建て直してほしい。3・エレベーターの数が少ない。4・社食で人によってご飯をよそってくれる量が違う。5・バイトさんのマナーが悪い。6・支社が離れているので不便。7・会社が駅から遠い。8・新入社員のお客さんに接する態度が悪い。9・福利厚生が少ない。10・給料が安い。

このように思いつくままに挙げると、
スケールが大きく抽象的な問題から、身近で具体的な問題まで、かなりのばらつきが生まれてしまうし、数もたくさん出せない。仕事の流れや経営管理の問題など、重要だと思われる問題も出ていない。いわゆる「モレている」状態だ。

とはいえ＜会社の問題＞のような大きなテーマについて、モレなくダブリなくアイデアを出すのは難しい。そこでいくつかの枠を作ってみる。全体をパーツに区切ることで、もっと知恵をひねりやすくなる。

■モレあり・ダブリあり

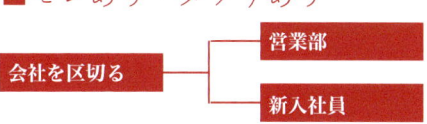

```
会社を区切る ─┬─ 営業部
              └─ 新入社員
```

※営業部の新入社員がいる上に、欠けている要素がたくさんある。

■モレあり・ダブリなし

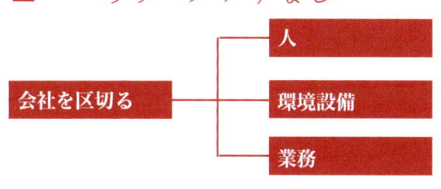

```
会社を区切る ─┬─ 人
              ├─ 環境設備
              └─ 業務
```

※ダブリはないが、「管理」「商品」が欠けている。

■モレなし・ダブリあり

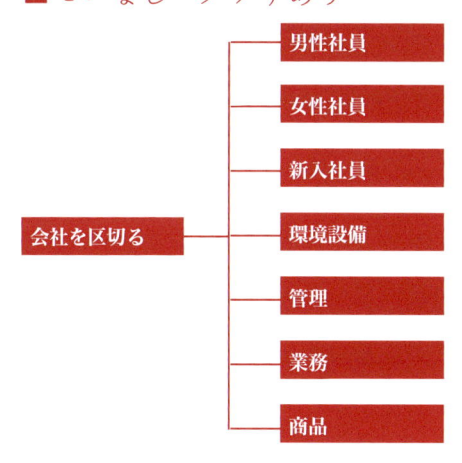

```
会社を区切る ─┬─ 男性社員
              ├─ 女性社員
              ├─ 新入社員
              ├─ 環境設備
              ├─ 管理
              ├─ 業務
              └─ 商品
```

※モレはないが、男性新入社員、女性新入社員がダブっている。

■モレなし・ダブリなし

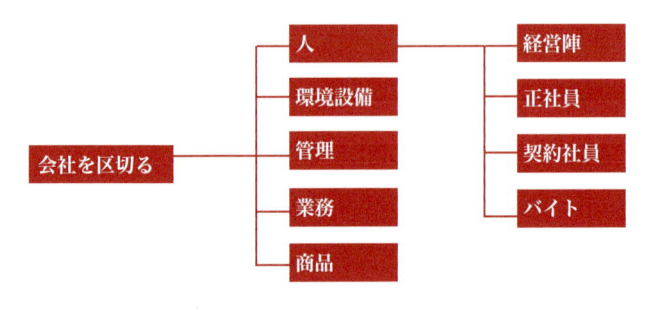

```
会社を区切る ─┬─ 人 ─┬─ 経営陣
              ├─ 環境設備  ├─ 正社員
              ├─ 管理      ├─ 契約社員
              ├─ 業務      └─ バイト
              └─ 商品
```

このようにモレなくダブリがない状態を、"MECE(ミーシー：Mutually Exclusive Collectively Exhaustive)"という。

"自分自身"を分析する場合は、「長所」だけはでなく、「短所」も考える。

"会社"を分析する場合は、「自社の強み」だけではなく、「ライバル」や「顧客」についても考える。

"販売戦略"を考える場合は、「商品」そのものだけではなく、「価格」や「売り場」「宣伝方法」をどうするべきかも考える。

これらはどれも MECE になっている。

MECE＝モレのないいくつかの大きなかたまりが、ぼんやりとしたプロジェクトに現実感を持たせてくれる。

会社の問題

環境設備の問題

トイレが汚い。耐震工事をするなら建て直しをしてほしい。エレベーターの数が少ない。社食で人によってご飯をよそってくれる量が違う。支社が離れているので不便。会社が駅から遠い。インターネットを使える部屋が少ない。出産育児支援が不十分。応接室が狭い。

管理・業務・商品の問題

会議の数が多い。上司の指示があいまいでわかりにくい。社内行事を減らしてほしい。なかなか有給休暇が取れない。担当者がたらい回しになる。ひとつのプロジェクトに携わる人材が不足している。商品全体のコストが高い。返品率が上がっている。新企画の数が減っている。

正社員・契約社員の問題

新入社員の接客態度が悪い。定時に帰る人が少ない。男女のバランスが悪い（女性が少なすぎる）。髪型や服装が乱れている。挨拶が減っている。電話やインターネットが私用で使われている。コピー機の扱いが乱暴。

バイトの問題

社員への対応が冷たい。定時に来ない。不規則に昼休みを取るのはやめてほしい。人数が少ない。電話の応対が悪い。服装が乱れている。コピー取りが遅い。

経営陣の問題

社員の給料が安い。会社の利益が低い。会社の知名度が低い。地域との結びつきが弱い。環境問題への関心が薄い。方針が一定じゃない。経営状況が不透明。競合他社との差別化があいまいになっている。新規事業に対する認知度が低い。

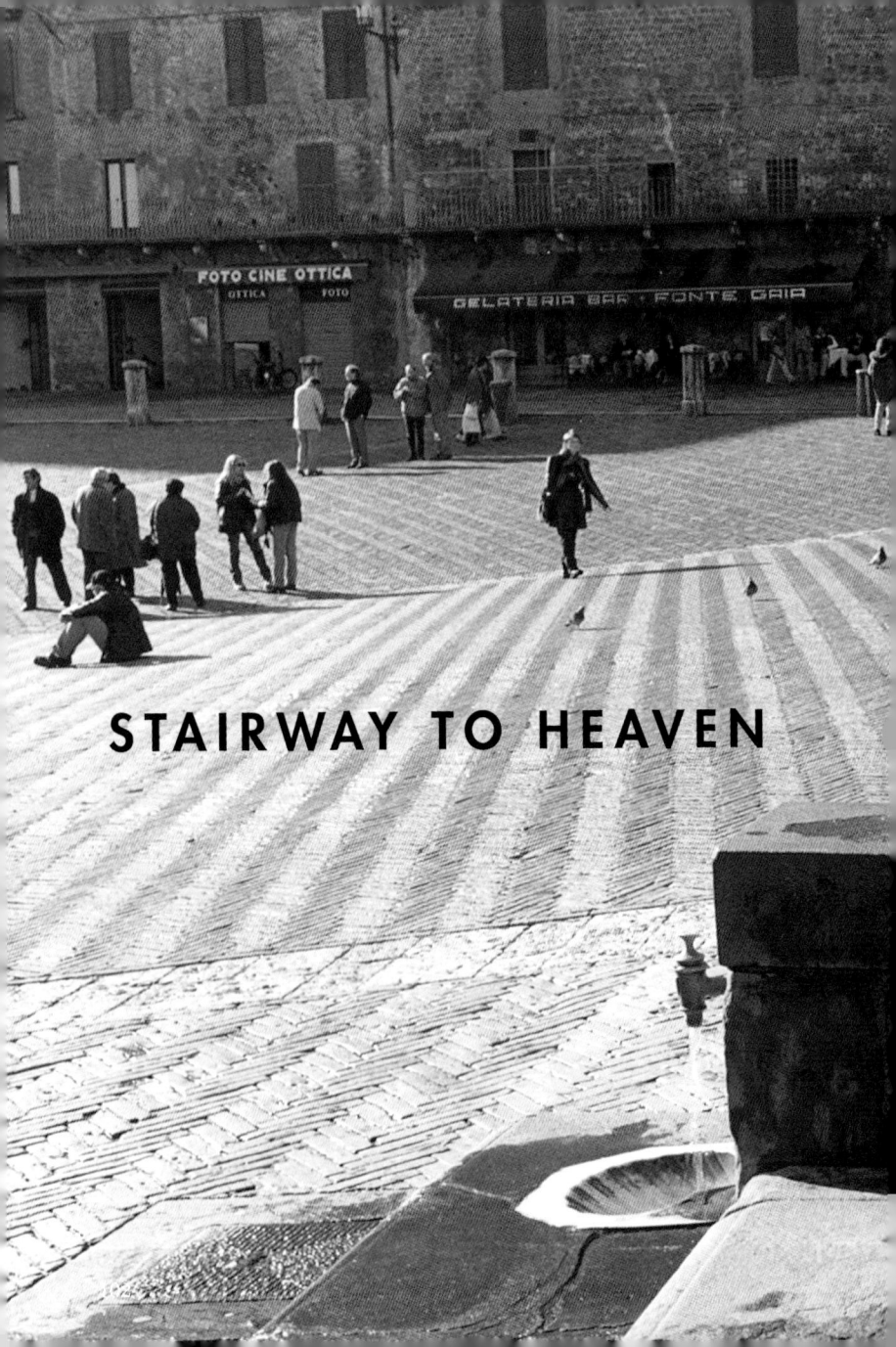

STAIRWAY TO HEAVEN

段取り CHAPTER 2

CHAPTER2 4
STAIRWAY TO HEAVEN

やるべきことを、枝分かれさせろ。

ある大きな課題を構成している「小さな課題」をリストアップしたら、その小さな課題をさらに小さく小さく枝分かれさせていこう。
ひとつの作業は、枝の末端に近づけるほどにシンプル&具体的になる。

たとえば「利益が低い」という課題に取り組むとき、やみくもに「値段を上げよう」「もっと気合いを入れよう」「新しい人材を採用しよう」と動き出しても、たいてい良い結果はのぞめない。MECEとロジックツリーを使って分析すれば、どこから手をつければいいかがハッキリするはずだ。そこから順番にアイデアを出していけばいい。いきなり無理をする必要はない。

問題分析のロジックツリー

目標「利益をアップさせる」

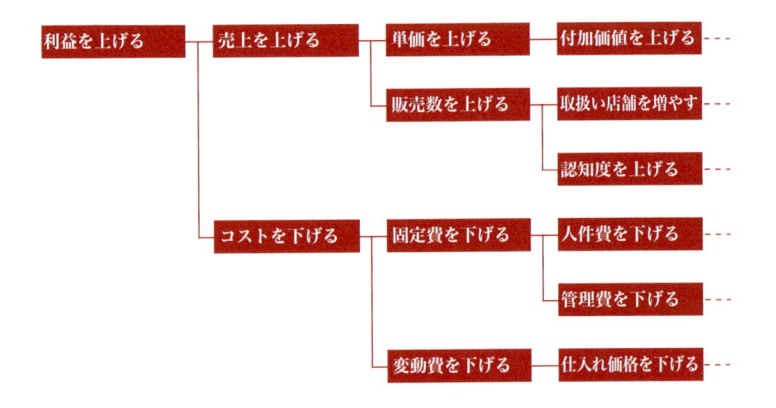

```
利益を上げる ─┬─ 売上を上げる ─┬─ 単価を上げる ──── 付加価値を上げる ---
             │                │
             │                └─ 販売数を上げる ─┬─ 取扱い店舗を増やす ---
             │                                  └─ 認知度を上げる ---
             │
             └─ コストを下げる ─┬─ 固定費を下げる ─┬─ 人件費を下げる ---
                                │                  └─ 管理費を下げる ---
                                │
                                └─ 変動費を下げる ── 仕入れ価格を下げる ---
```

ひと口に利益を上げるといっても、これだけの「できること」がある。

この中からまずは「販売数を上げる」ことを例にあげる。そのひとつのアイデアとして、業者とお客さんとの交流イベントを実施することにした。

イベント開催のロジックツリー

目標「交流イベントを成功させる」

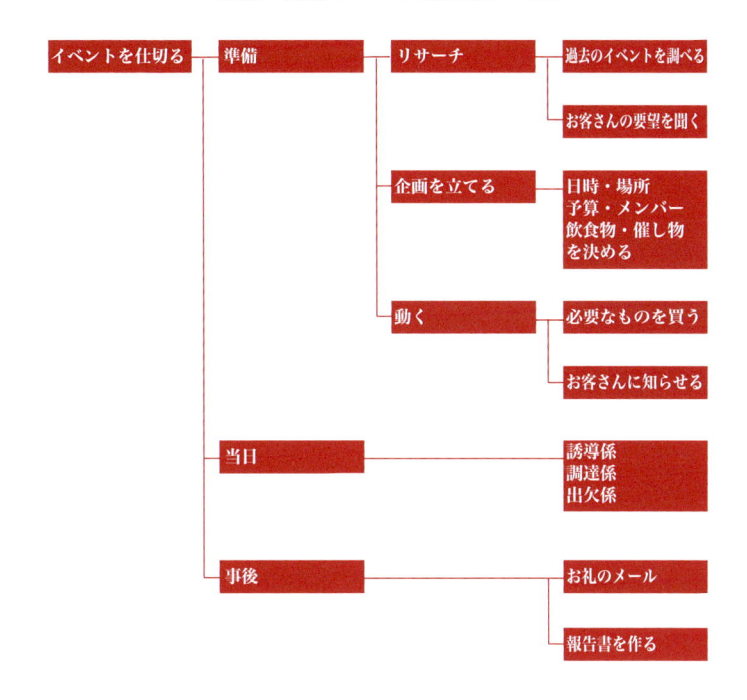

```
イベントを仕切る ─┬─ 準備 ─┬─ リサーチ ─┬─ 過去のイベントを調べる
                  │        │            └─ お客さんの要望を聞く
                  │        ├─ 企画を立てる ─ 日時・場所
                  │        │                予算・メンバー
                  │        │                飲食物・催し物
                  │        │                を決める
                  │        └─ 動く ─┬─ 必要なものを買う
                  │                  └─ お客さんに知らせる
                  ├─ 当日 ─── 誘導係
                  │          調達係
                  │          出欠係
                  └─ 事後 ─┬─ お礼のメール
                            └─ 報告書を作る
```

右にいけばいくほど、いろんな作業が生まれてくる。それらの作業を「雑用」だと思ってしまう人がいるが、作業の中にそんなものはひとつも存在しない。図を見ればわかるとおり、すべての作業はプロジェクトの成功につながる重要な仕事だ。

雲の上にあるような先の見えないプロジェクトも、このようにモレなくダブリなく小さな階段を作っていくことで、必ず目標にたどり着くことができる。

CHAPTER2　5
STAIRWAY TO HEAVEN

〆切を決めろ。

プロジェクトには必ず期限がある。

言い換えれば、期限が決まっているものはすべてプロジェクトと呼ぶ。

「近いうちにやる」という言い方ではあいまいすぎる。

自分が自由に使える時間と、プロジェクト完了までに必要な作業の所要時間。

この2つを見比べて、「いつまでにやるか」ハッキリと〆切を決めてしまおう。

誰もが平等に1日24時間しか与えられていない。

ただでさえ日々やることがたくさんある。時間が足りない。

そんな中でさらに新しいことへ取り組むために、できる工夫は3つある。

ひとつは、今まで続けてきたなにかを思い切ってやめてしまうこと。

習慣を減らすことで、新しい時間が生まれる。新しい時間には、自然に新しい行動が加わってくる。そこへ半強制的に「夢への予定」を組み込んでもいい。

もうひとつは、仲間の力を借りること。「自分で全部やらなきゃいけない」「誰かに頼んだら申し訳ない」とは考えず、思い切って頼んでみる。頼りにされることで、喜びややりがいを感じてくれる人は必ずいる。

最後は人を待っている時間、車や電車での移動時間、風呂につかっている時間など、わずかな空き時間を利用すること。そのためにも「時間ができたらこれをやろう」というリストをつねに意識しておくか、どこかに記録しておこう。小さな時間をパッチワークのようにつなぎ合わせることによって、プロジェクトを完成させることもできる。

ただし期限はギリギリにせず、余裕を持たせてほしい。

急な仕事の依頼、突然の来客、集中しはじめたときに限って鳴る電話など、日常に時間を奪う要素は多く、自由に使える時間はたいてい見込みよりも少ないからだ。時間のロスが生じると、それを回復しようと慌てることになり、仕事全体のクオリティが下がってしまう。

小さい仕事を職人のように、きっちりこなす。

動き回る自分の姿に酔うことなく、涼しい顔でまわりを見渡す。

プロジェクトの中心にいて、つねにブレのない状態を保つ。

そのためには「ゆとり」が必要だ。"遊ぶ"または"なにもしない"という予定も入れておこう。

CHAPTER2 6
STAIRWAY TO HEAVEN

プロジェクトの同志を探せ。

すごい結果は、
いろんな才能を持った人間の集合体から生まれる。

ひとりでできることには限界がある。
誰と組むか。どんなチームにするのか。
いろんな人の得意を集めて、お互いの弱い部分を補い合う。
実力はその人ひとりの力ではなく、
他人の力を「どこまで集められるか」によって決まる。

人と人が組んで仕事をすることにより、
お互いの才能を足し算した以上の結果が出ることもある。

みんなはなぜ、このプロジェクトに参加しているのか。
この分野で目立ちたいのか、経験を積みたいのか、単に正当な報酬がほしいのか。
仲間一人ひとりの「メリット」を把握し、そのための環境を整えてあげる。

「やってほしい」と頼むよりも、「やらせてほしい」と言わせたい。

CHAPTER2 7
STAIRWAY TO HEAVEN

やるべきことを整理しよう。

やるべきことが膨大にあっても、慌てることはない。
階段を一段ずつのぼっていくように、一つひとつ丁寧に片づけていけばいい。

それは重要なのか？　緊急なのか？

一番先に手をつけるべきことは、もちろん「緊急かつ重要」なことだ。
「緊急だけど重要じゃない」ことばかりに気をとられていると、
がんばっていても、のぞみの結果を出すことができない。
「緊急ではないが重要なこと」を優先することで、
ゆったりとした時間を演出することができる。
それは将来、「緊急かつ重要」なことに変化するからだ。

また物事には今「ハッキリしていること」と、
「ハッキリしていないこと」がある。
「ハッキリしていること」はただ行動に移すだけだから、
「ハッキリしていないこと」を"ハッキリさせる"ための行動を
先にはじめよう。

【簡単な例】
目標「引越しをする」
やるべきこと（順不同）

- 古い家具を処分する
- 新しい家具を手に入れる
- 大家さんにあいさつする
- 電気ガス水道電話の業者に連絡する
- ダンボールなど梱包材を手に入れる
- 新居のレイアウトを決める
- 新居の掃除をする
- ご近所にあいさつする
- 沿線を調べる
- 引越し費用を見積もってもらう
- 捨てる荷物と持っていく荷物を決める
- 引越し業者を探す
- エリアの相場を調べる
- 物件を探す
- 契約をする
- 間取りを決める
- 送別会
- 役所に届ける
- 「引越しました」のハガキを出す
- 荷造りの計画を立てる
- 部屋を内覧する
- 生活必需品の開封
- 住所移転手続き

ハッキリしていないこと

エリアを決めるために
- 沿線を調べる
- エリアの相場を調べる

間取りを決めるために
- 新居のレイアウトを決める
- 捨てる荷物と持っていく荷物を決める
- 間取りを決める

物件を決めるために
- 物件を探す
- 部屋を内覧する
- 契約をする

ハッキリしていること

引越し前にやること
- 古い家具を処分する
- ダンボールなど梱包材を手に入れる
- 引越し業者を探す
- 引越し費用を見積もってもらう
- 送別会
- 荷造りの計画を立てる

引越し後にやること
- 新しい家具を手に入れる
- 住所移転手続き
- 電気ガス水道電話の業者に連絡する
- 新居の掃除をする
- ご近所にあいさつする
- 「引越しました」のハガキを出す

引越し当日にやること
- 大家さんにあいさつする
- 役所に届ける
- 生活必需品の開封

いままで経験のない作業、込み入った作業についてはさらに小さい作業に分解しておく。
どこまで細かくばらすか？　目安は「5日以内」に終わらせられる程度。それ以上同じ作業をしていると、たいてい集中力が続かないからだ。

物件を探す
── 情報誌を調べる
── インターネットで調べる
── エリア近辺の不動産屋を探す

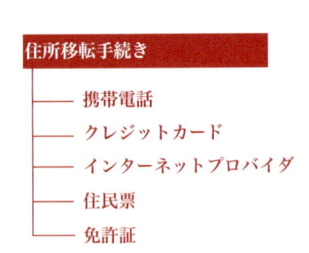

住所移転手続き
── 携帯電話
── クレジットカード
── インターネットプロバイダ
── 住民票
── 免許証

サンクチュアリ出版 = 本を読まない人のための出版社

はじめまして。サンクチュアリ出版・広報部の岩田梨穂子と申します。この度は数ある本の中から、私たちの本をお手に取ってくださり、ありがとうございます。…って言われても「本を読まない人のための出版社って何ソレ??」と思った方もいらっしゃいますよね。なので、今から少しだけ自己紹介させてください。

ふつう、本を買う時に、出版社の名前を見て決めることってありませんよね。でも、私たちは、「サンクチュアリ出版の本だから買いたい」と思ってもらえるような本を作りたいと思っています。そのために"1冊1冊丁寧に作って、丁寧に届ける"をモットーに1冊の本を半年から1年ほどかけて作り、少しでもみなさまの目に触れるように工夫を重ねています。

そうして出来上がった本には、著者さんだけではなく、編集者や営業マン、デザイナーさん、カメラマンさん、イラストレーターさん、書店さんなどいろんな人たちの思いが込められています。そしてその思いが、時に「人生を変えてしまうほどのすごい衝撃」を読む人に与えることがあります。

だから、ふだんはあまり本を読まない人にも、読む楽しさを忘れちゃった人たちにも、もう1度「やっぱり本っていいよね」って思い出してもらいたい。誰かにとっての「宝物」になるような本を、これからも作り続けていきたいなって思っています。

サンクチュアリ出版 年間購読メンバー
クラブS

あなたの運命の1冊が見つかりますように

基本は年間で12冊の出版。

サンクチュアリ出版の刊行点数は少ないですが、
その分1冊1冊丁寧に、ゆっくり時間をかけて制作しています。

クラブSに入会すると…

■ **サンクチュアリ出版の新刊が すべて自宅に届きます。**

※もし新刊がお気に召さない場合は
　他の本との交換が可能です。

■ **サンクチュアリ出版の電子書籍が 読み放題となります。**

スマホやパソコンからいつでも読み放題!
※主に2010年以降の作品が対象となります。

■ **12,000円分のイベントクーポンが ついてきます。**

年間約200回開催される、サンクチュアリ出版の
イベントでご利用いただけます。

その他、さまざまな特典が受けられます。

クラブSの詳細・お申込みはこちらから
http://www.sanctuarybooks.jp/clubs

段取り CHAPTER 2

CHAPTER2 8
STAIRWAY TO HEAVEN

優先順位をつけろ。

すべてのことに優先順位をつけることだ。

優先順位がわからない人は、人生に迷っているとも言える。
彼らは目の前にあるものから順番に手を出してしまう。それではいくら忙しくしていても、なかなか目標に近づくことができない。

物事には「○○をやらないと、○○ができない」「○○をやる前に、○○をやっておいたほうがよい」という順序がある。
この順序を自分の目で見えるようにすれば、目標までの最短経路が自然に浮かびあがってくる。
大きな紙を使って、次のようなネットワーク図を描こう。

ネットワーク図

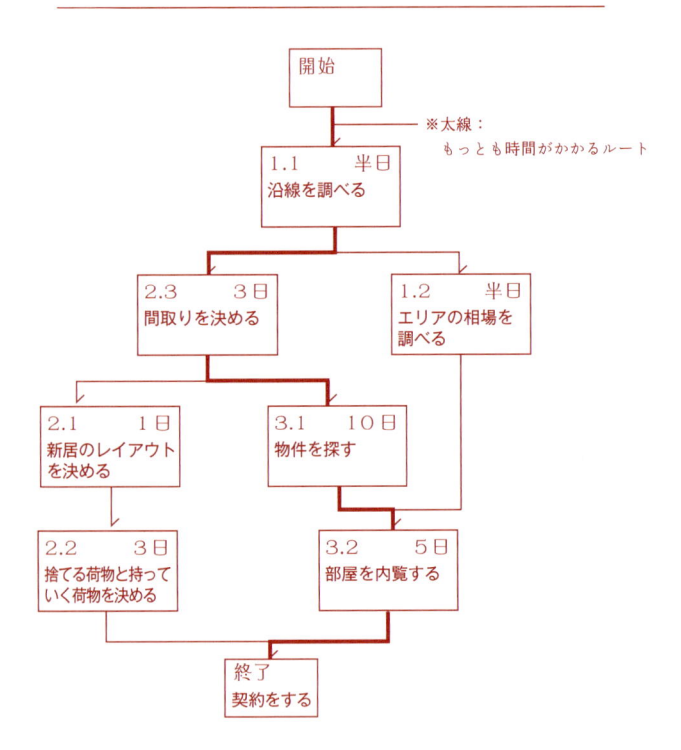

```
           ┌──────┐
           │ 開始 │
           └──┬───┘
              │           ※太線：
      ┌───────┴─────┐    もっとも時間がかかるルート
      │ 1.1   半日  │
      │ 沿線を調べる │
      └──┬──────┬───┘
         │      │
    ┌────┴───┐  │  ┌──────────────┐
    │2.3  3日│  │  │1.2    半日   │
    │間取りを│  │  │エリアの相場を│
    │決める  │  │  │調べる        │
    └─┬────┬─┘  │  └──────────────┘
      │    │    │
 ┌────┴─┐  │ ┌──┴─────────┐
 │2.1 1日│ │ │3.1   10日  │
 │新居の │ │ │物件を探す  │
 │レイアウト│ │ └────┬───────┘
 │を決める│ │      │
 └───┬───┘ │  ┌────┴───────┐
     │     │  │3.2    5日  │
 ┌───┴──────┐│  │部屋を内覧する│
 │2.2   3日 ││  └────┬───────┘
 │捨てる荷物と││      │
 │持っていく  ││      │
 │荷物を決める││      │
 └──────┬───┘│      │
        └────┴──┬───┘
           ┌────┴─────┐
           │ 終了     │
           │ 契約をする│
           └──────────┘
```

CHECK 所要時間の調整

自分が得意な作業…予想される時間から10％減らす

いままでに経験のない作業…予想される時間に20％加える

複数のメンバーで取り組む作業…意思疎通をはかる時間として10％加える

プロジェクトのスタートから終了までにさまざまなルートがある。このうち、最も遠回りとなる（最も時間がかかる）ルートが重要だ。

このルートこそがプロジェクト全体にかかる所要時間となり、このルート上にある作業が少しでも遅れると、プロジェクト全体が遅れることになる。

プロジェクトを進めるときには、ここを特に念入りにチェックしたほうがいい。

CHAPTER2
STAIRWAY TO HEAVEN **9**

もしも対策をしろ。

もしも当日、雨が降ったらどうしよう。
あの人が病気で参加できなくなったらどうしよう。
仕事で必要な機材が、業者から届かなかったらどうしよう。
プロジェクトリーダーの悩みは尽きない。

不安なことを想像しているうちに、だんだん気分が盛り下がってくる。リーダーに不可欠なのは高いテンションを維持することだ。いっそ「なんとかなる」と開き直った方が、プロジェクトの勢いを落とさなくて済むかもしれない。忘れよう。もっとプラス思考でいこう。…しかしそういう人は、いざ問題が発生したときに打つ手がなく、プロジェクトをあっさり台無しにしてしまうことが多い。

プラス思考とは決して「マイナス要素から目をそらすこと」ではなく、最悪な状況をできるだけ洗い出し、「先手を打っておこう」と考えられる思考のことだ。想像しうるすべてのトラブルの対処法を考えておけば、あとはもう明るいことしか考えられない。だからたとえ誰かが不安を感じていても、「心配しなくても、なんとかなるよ」と自信を持って励ますことができるわけだ。

こんなとき、どうする？
もしも＝リスクの種類は大きく分けると次のとおりだ。

目標が変わるリスク

・依頼者の希望が変わる。
・期限・予算が変わる。

期間が変わるリスク

・「最も時間のかかるルート」上にある仕事が遅れる。
・ひとつの仕事が予想より遅れる。
・業者（人）に頼んだ仕事が遅れる。
・〆切のある仕事が遅れる。
・予想していない仕事が現れる。

ヒトモノカネが不足するリスク

人のリスク

・けが・病気などの理由によって動けなくなる。
　またはメンバーが抜けることになる。
・専門技術を持ったメンバーが抜ける。

モノのリスク

・道具が壊れる。手に入らない。足りない。
・予定していた場所が使えなくなる。

お金のリスク

・予期しない支出があり、予算をオーバーする。
・見積もりが出たときよりも、値段が急激に上がる。

リスクをすべて洗い出したら、
それらが「発生する可能性」と「影響度」を考える。

- 「発生する可能性」が高い、かつ「影響度」が大きい
  ＝対応策と予防策を考える

- 「発生する可能性」が高い、かつ「影響度」が小さい
  ＝対応策を考える

- 「発生する可能性」が低い、かつ「影響度」が大きい
  ＝対応策を考える

- 「発生する可能性」が低い、かつ「影響度」が小さい
  ＝無視していい

さあ、これで段取りは終わった。

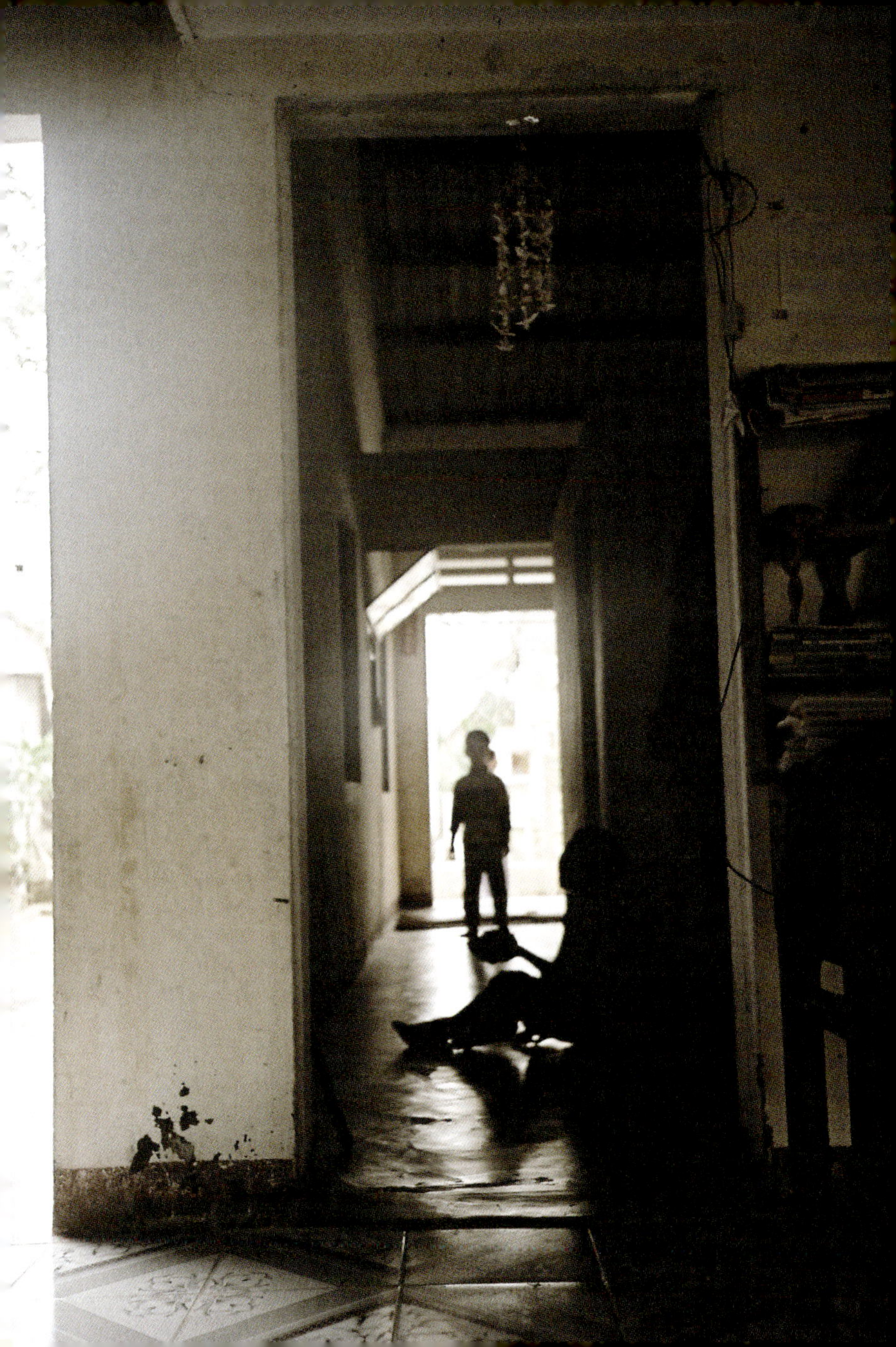

こうしてプロジェクト達成のために、
「なにをすればいいか?」が導き出された。
あとはただ行動に移すだけだ。

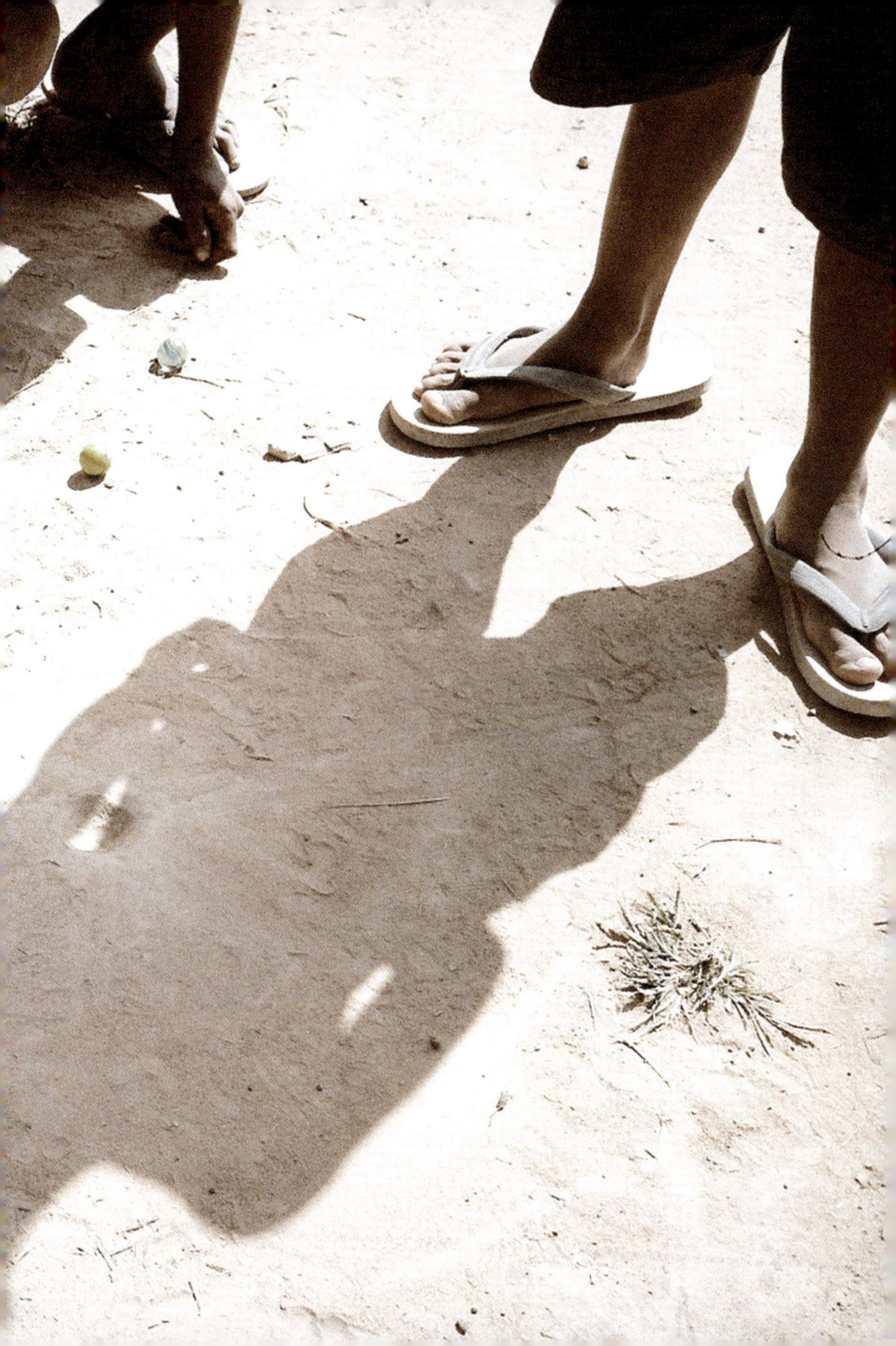

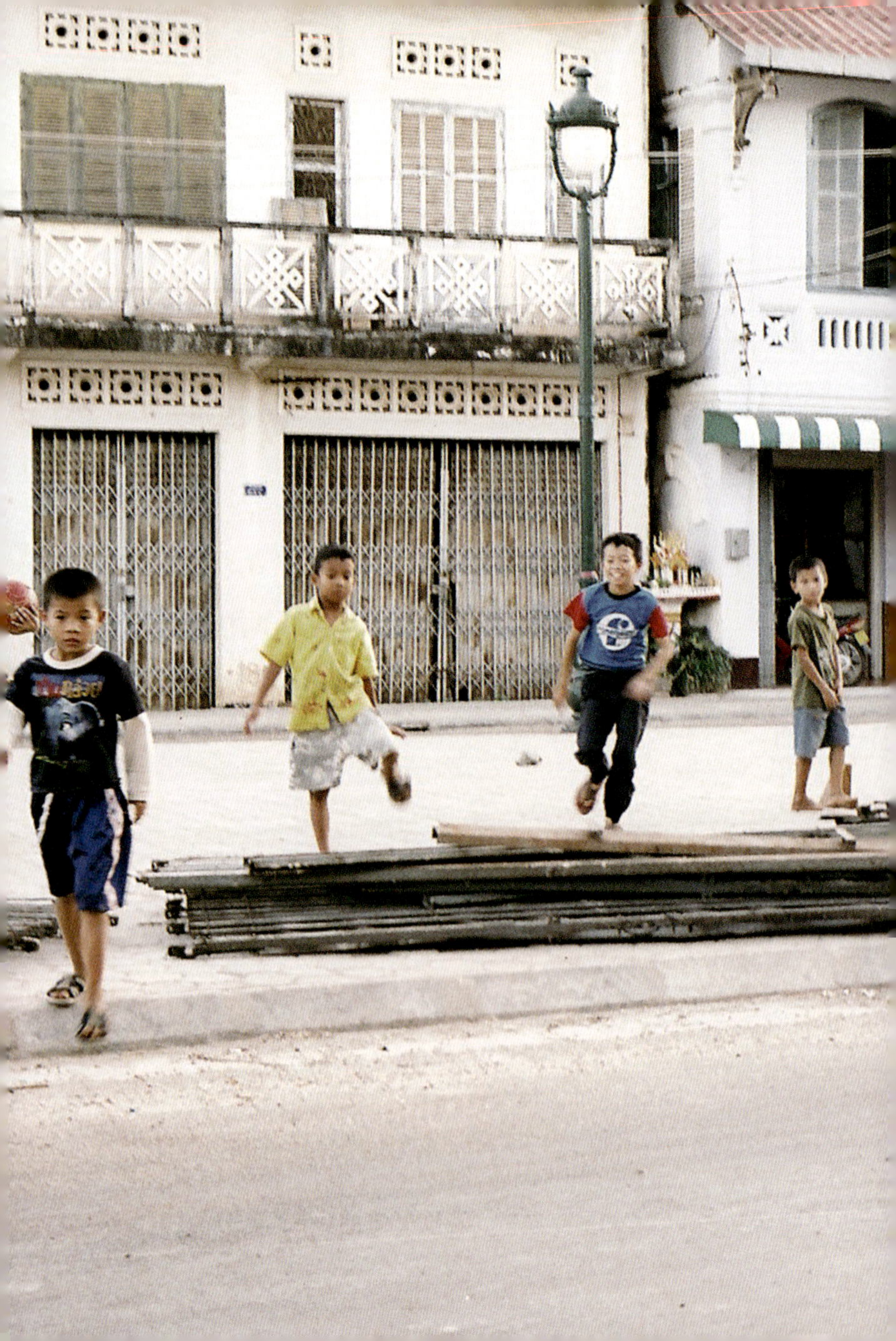

成功の反対は失敗ではない。

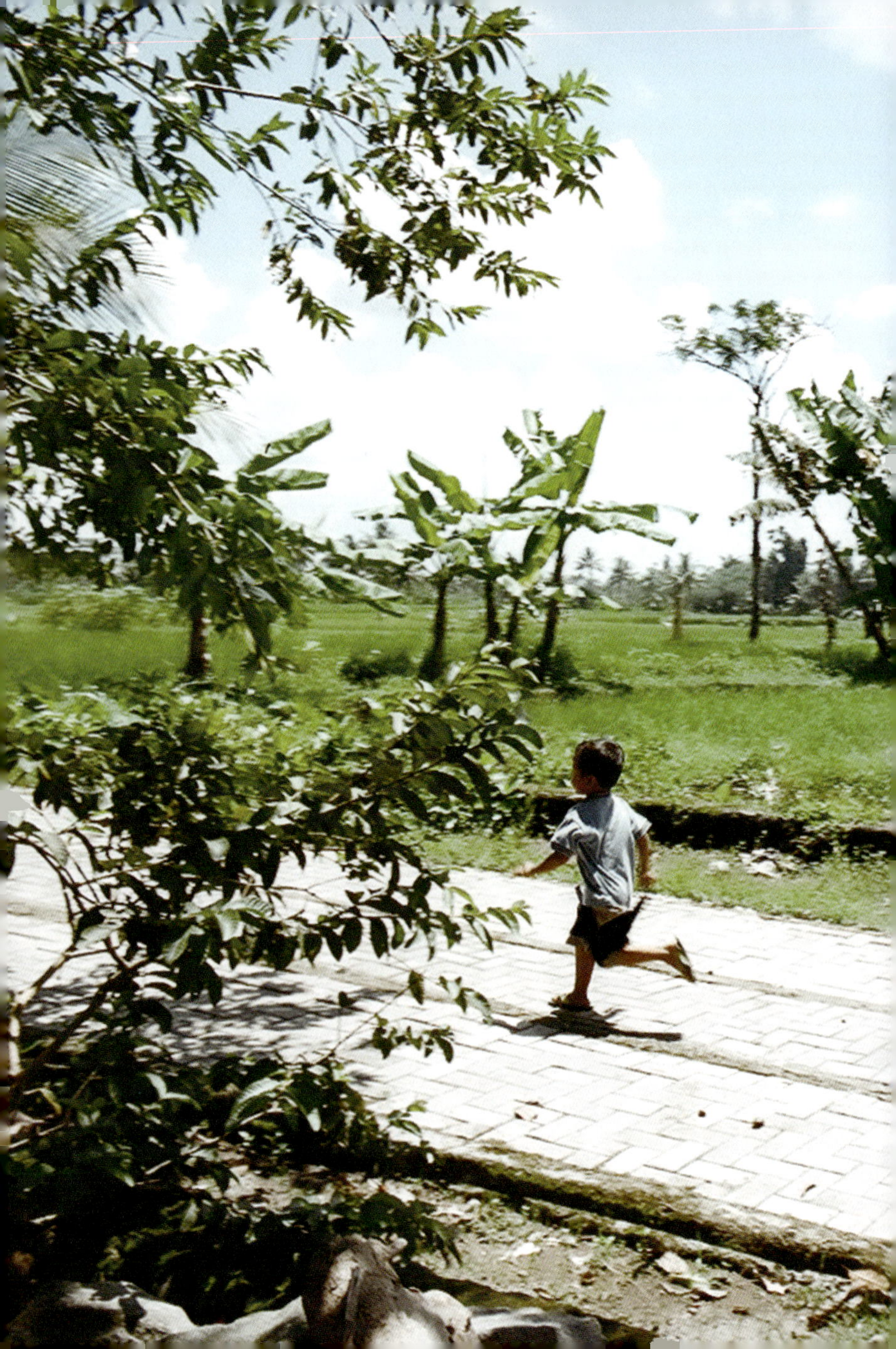

成功は必ず失敗の延長線上に存在している。

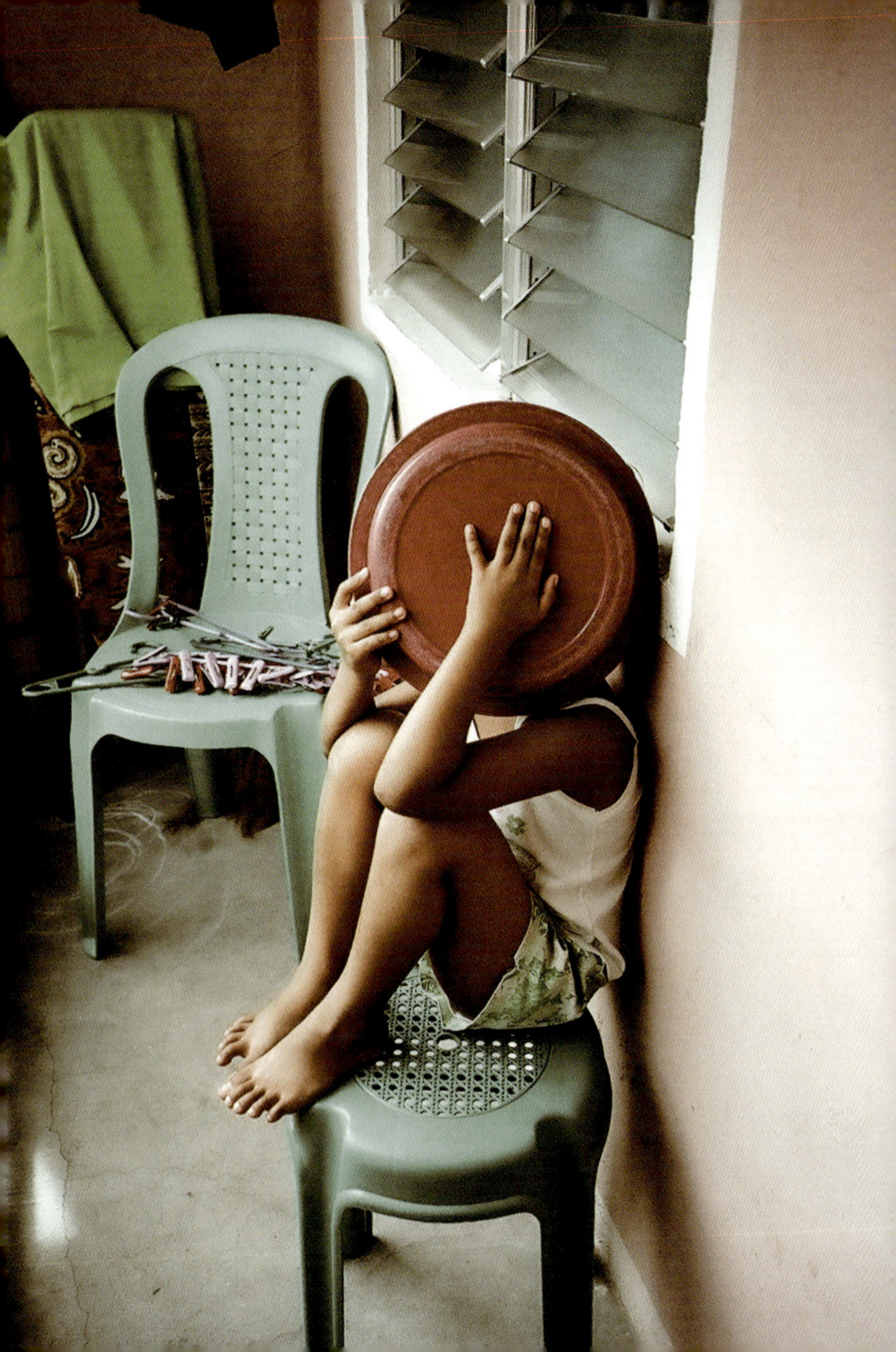

一番避けたいのは、
やらずに後悔すること。

思っていても、変わらない。
はじめないと、はじまらない。

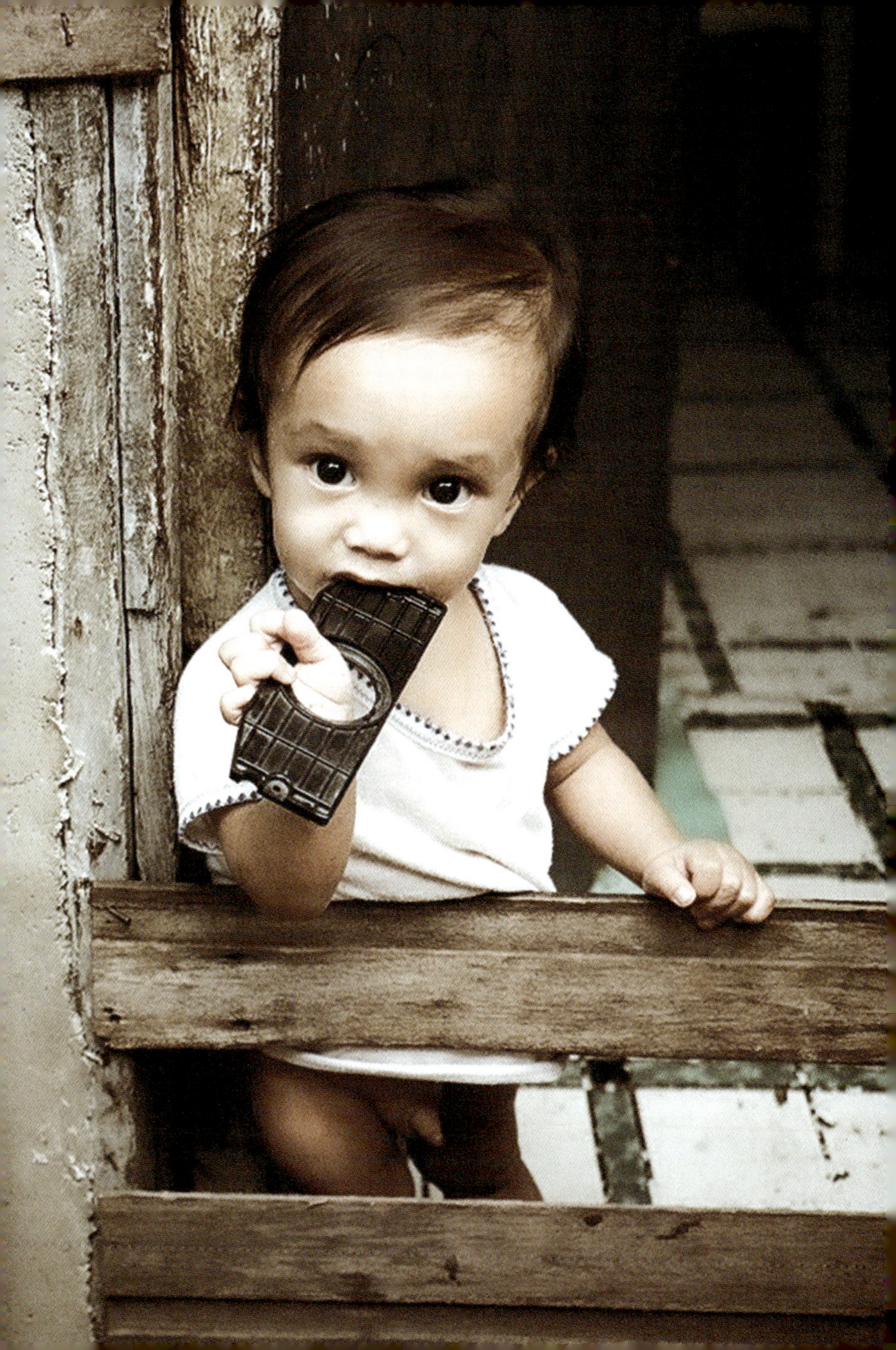

考え込むより行動。動けば自然に見えてくる。

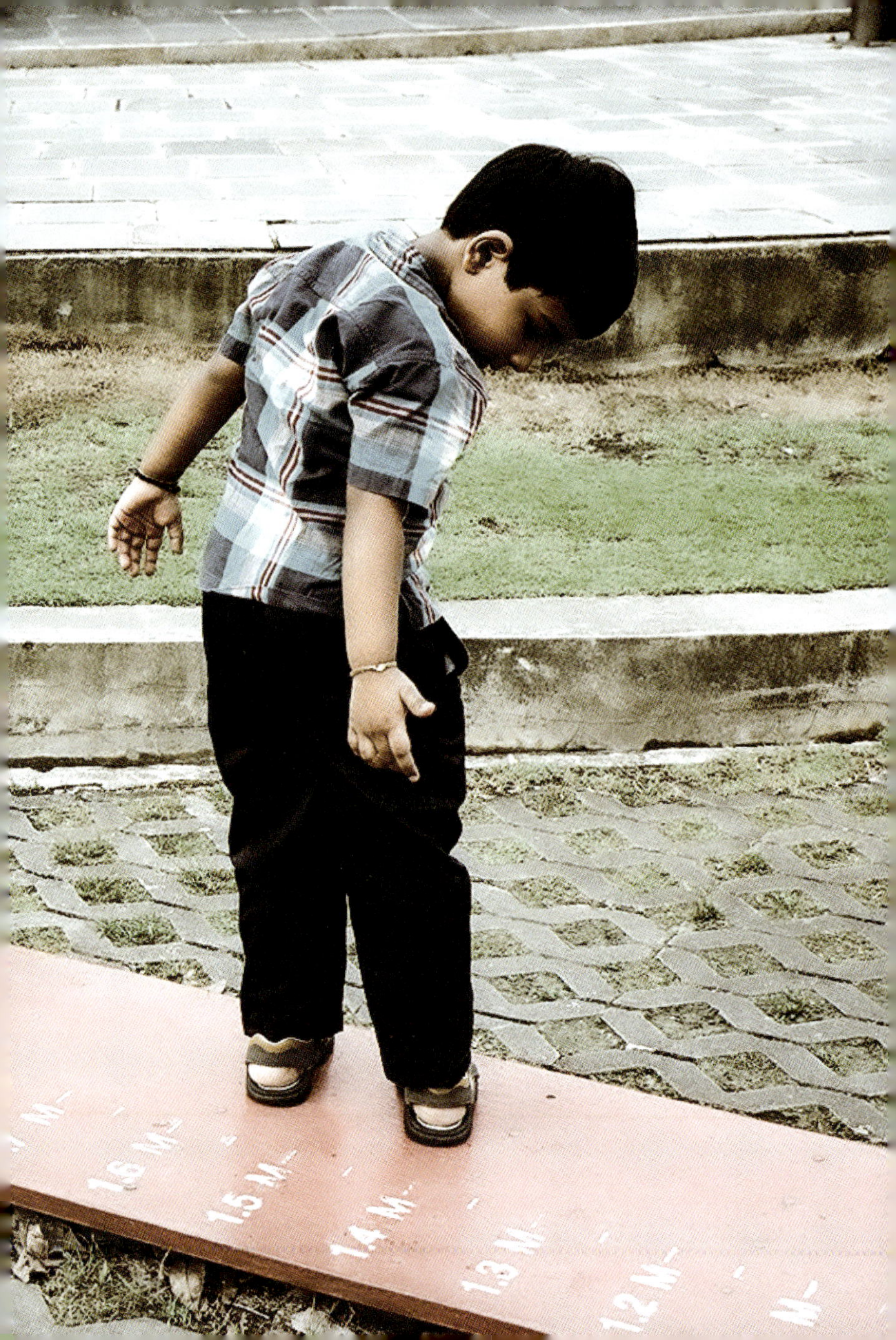

1.6 M
1.5 M
1.4 M
1.3 M
1.2 M

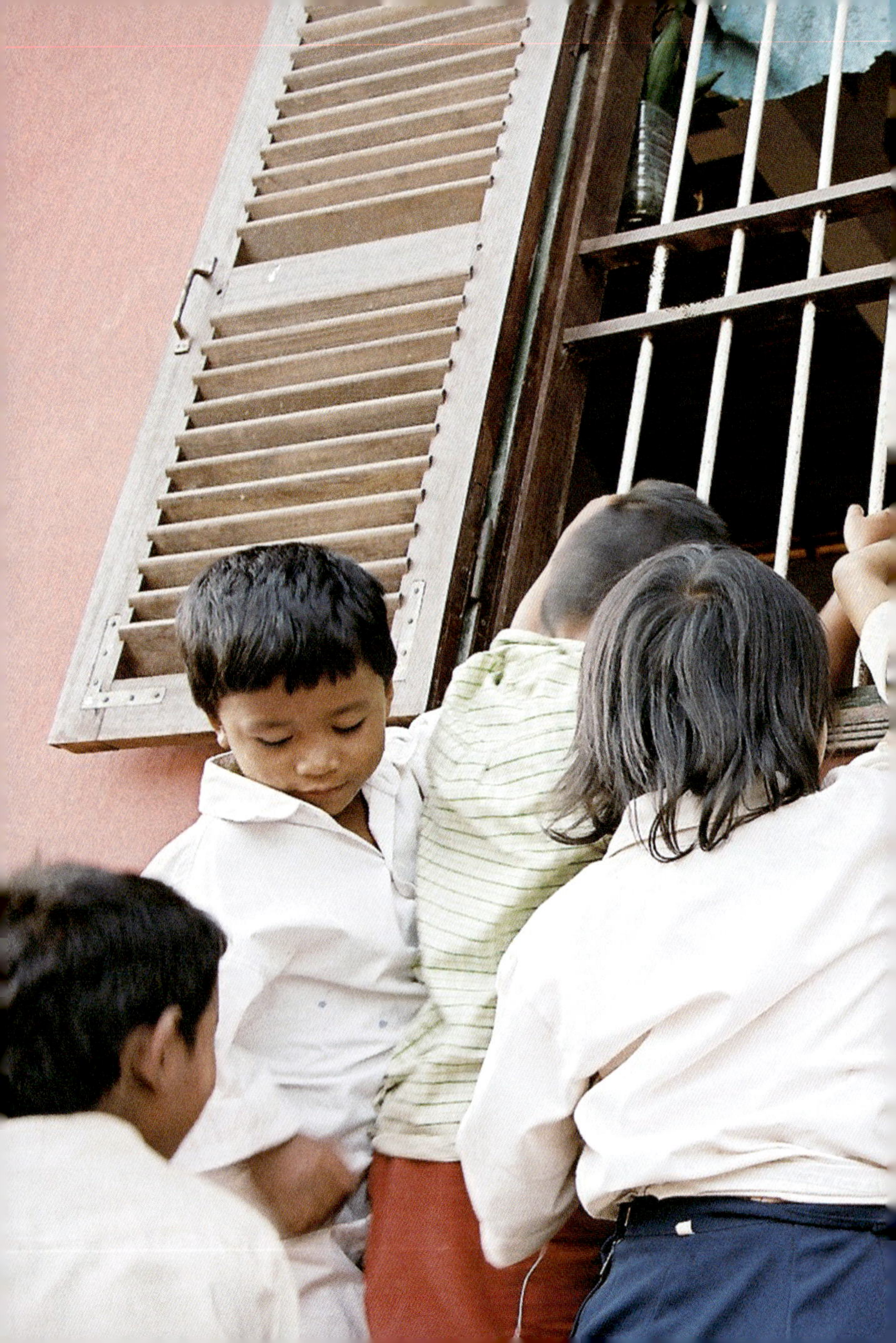

怖がらなくてもいい。死ぬこと以外はかすりキズだ。

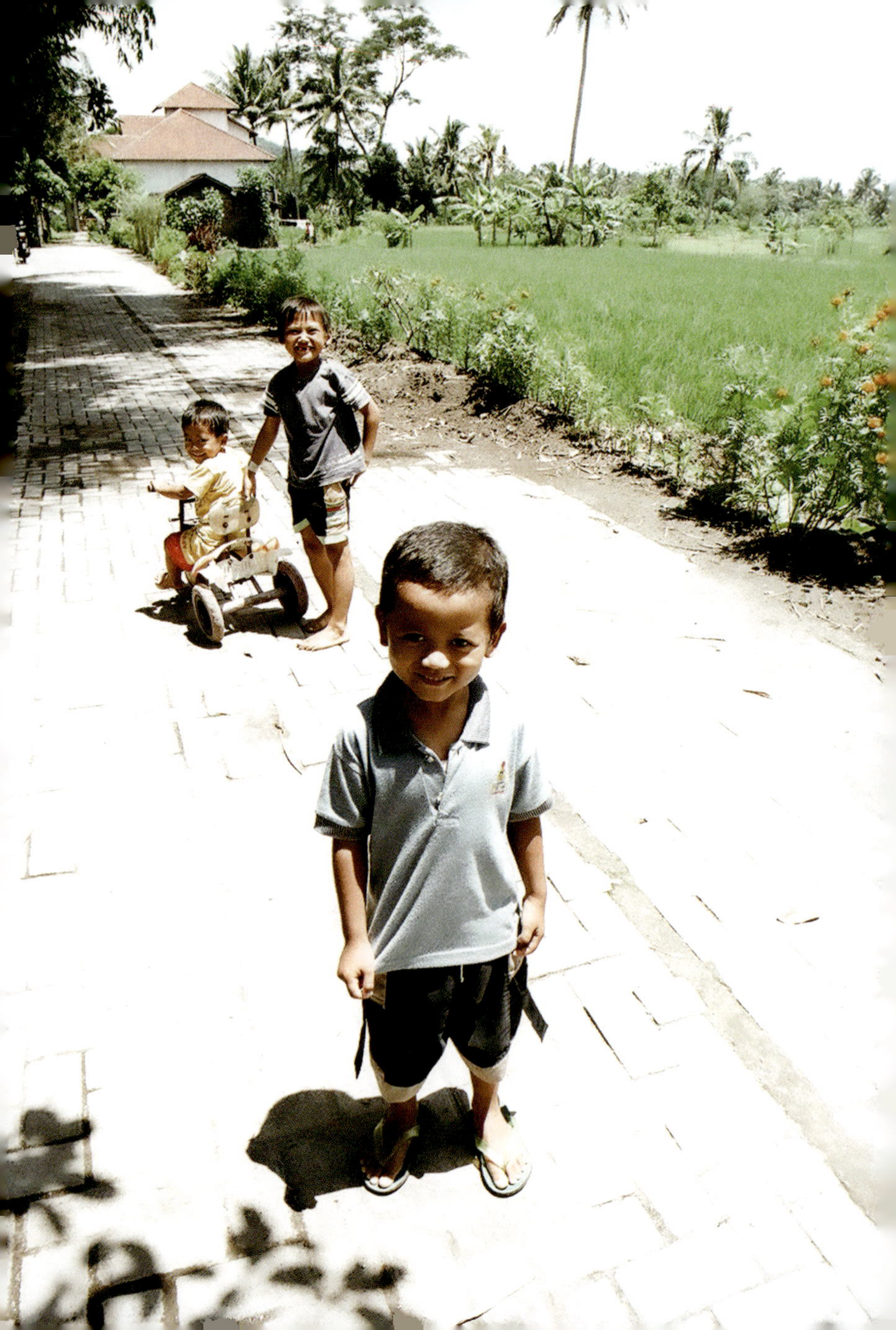

はじめよう

It's a show time!

PROJECT OF LIFE 【参】

実行

How do you move?

CHAPTER3

どう動くか。

HOW DO YOU MOVE?

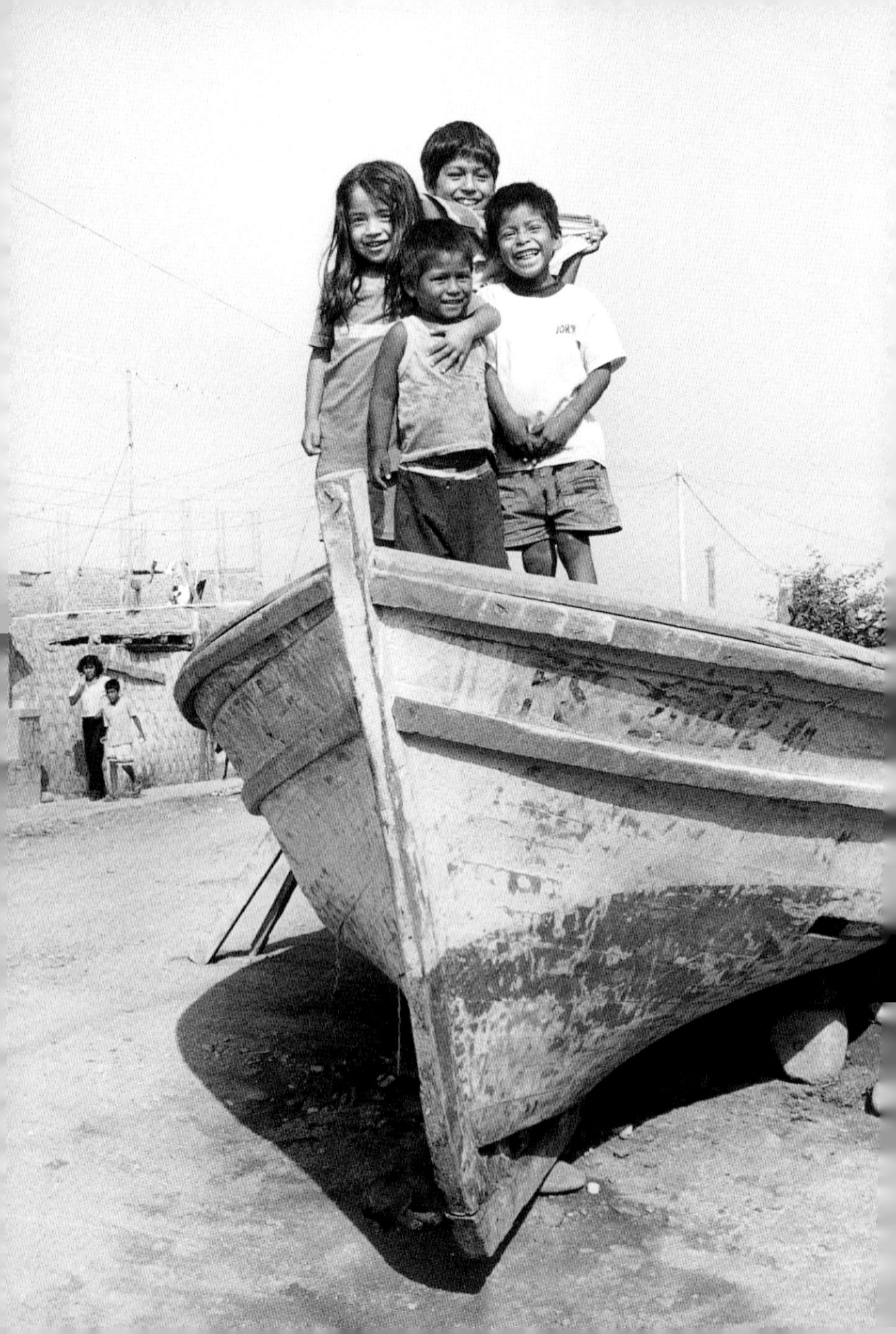

どう動くか。
HOW DO YOU MOVE？

変わりたいと思ってる？
本当に流れを変えようと思ってる？
変わるために、何か具体的なことをはじめてる？

人生は思った通りだ。
「思った通りになるわけない！」と思い込んでいる人がいるが、
その人も、そう思ったからには、思った通りだ。

「そうなるためのこと」をはじめたとたん、変化はすぐにはじまる。
心の目を醒ませ。
興奮することも、高揚することも、きっかけを待つ必要もない。

今すぐ、はじめればいい。

CHAPTER3
HOW DO YOU MOVE?

1

今やるべきことは一つ。

目の前の「やるべきこと」の山に
押しつぶされてはいけない。
時間内にできることは限られているし、
今できることは、ひとつしかないのだから。

カバンが2個必要な荷物でも、じっくり考えて、丁寧につめれば1個で足りることもある。予定と予定のすき間に時間を作る。重ねられる作業は重ねてしまう。
そんなふうに時間をデザインすることで、1日にたくさんのことができるのに、一つひとつの時間はゆっくり過ごすことができる。

そして頭の中はいつもシンプルに。
自分で記憶することなく、すべてスケジュール帳に覚えさせよう。
スケジュール帳を開けば「今、自分はなにをするべきか？」が書かれている。
自分の命令に従うときは、なにも考えずに実行すればいい。
頭を使うのは段取りを組むときだけで、
いちど階段さえ作ってしまったら、あとはただただのぼるだけだ。

ときどき迷いたくなるときもあるが、
余計なことは考えず、目の前のことに全力を注ごう。

CHAPTER3 2
HOW DO YOU MOVE?

頻度×深度

＝コミュニケーション。

仲間たちと打ち解けよう。

メールより電話、電話より会う、会うよりも食事。一泊できればなおいい。
またはドキドキ感を楽しめる場所に誘い、ちょっとした事件を共有体験することで、心の距離を一気に近づけることができる。

仲間たちと何度も話そう。
特別な用事なんてなくてもいい。「あなたのことをつねに気にしていますよ」という気持ちさえ伝われば、それだけでいい。お互いの相性だけではなく、会う回数を増やすことでも人間関係は深くなっていく。
コミュニケーションの価値は、すべて受け手が決定している。
「そんなつもりじゃなかった」という、あなたの"つもり"は関係ない。「なにを伝えたか」ではなく「なにが伝わったか」なのだ。
一度用件を伝えたからといって、安心しないでほしい。
まる投げすることが、仕事分担ではない。
仕事を渡しても、目を離さない。目を離しても、意識だけは離さない。

ゆったり周囲に気を配るほど、プロジェクトの展開は速くなる。

CHAPTER3
HOW DO YOU MOVE?

気分を操作しろ。

行動は気分に左右されてしまう。
動かなければいけないのに、動きたくないときがある。
しかし自分の気分を左右できれば、自分の行動をコントロールすることができる。

風呂に入ったり、焼肉を食べたり、ある曲を聴いたり、ある場所に行ったり…。
自分のやる気を引き出すスイッチをいくつも見つけておこう。

最初に手がける作業はわざとゆっくりと、
無駄なくらい、丁寧にやってもいい。
芸術作品のように、完璧に仕上げてやろうと心に決めて。
やがてスッと世界に入り込む。あとは流れに身をまかせればいい。

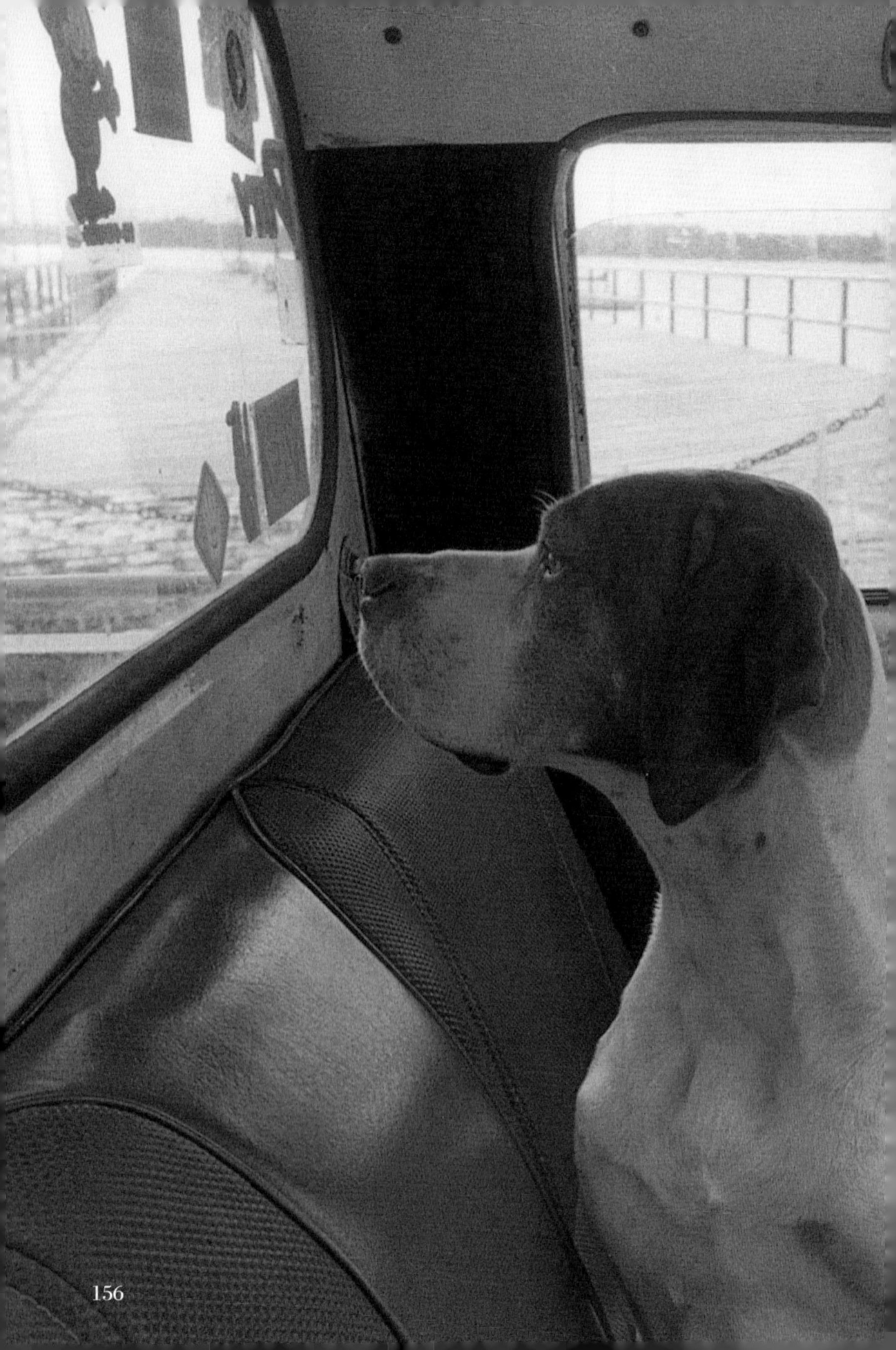

HOW DO YOU MOVE?

実行　CHAPTER 3

CHAPTER3
HOW DO YOU MOVE?

4

プロジェクトの問題解決。

自分の状況を知っておくために、過去1週間に起きたことと、これから1週間に起きてほしいことを紙にまとめておく。
他人に読ませるつもりで書くことで、より正確に自分を把握することができる。
またみんなの情報を共有するために、お互いのレポートをメールで送り合おう。

悪い情報ほど、早く報告した方がいい。
自分よりもリーダーの方が選択肢が多い、ということを忘れてはいけない。
知恵を借りるのも大切な仕事だ。

プロジェクトが進めば、必ず問題も起きる。

しかしプロジェクトには解決可能な問題しか現れない。
大事なのは、その問題が
「事実」なのか？
「イメージ」なのか？
をハッキリさせることだ。

なにか問題が起きたときには、
「事実」についてのみ考えればいい。

　たとえば"A君は締め切りにルーズ"というのはイメージ。
１日遅れたらルーズだと感じる人もいるし、
たった１日しか遅れてないじゃないかと感じる人もいる。
イメージは人によって解釈が分かれてしまう。
だから問題は「事実」だけをあつかわないと、解決することができない。

事実には＜起こったこと＞＜数字になること＞＜言ったこと＞
の３種類しかない。

"A君は締め切りを過ぎても、書類を提出していない"
これは事実になる。

"スタッフの人数が少ない"というのはイメージ。
"去年と比べて、スタッフが５人少ない"というのは事実。

"ミーティングの集まりが悪い"というのはイメージ。
"リーダーが「ミーティングの集まりが悪い」と言った"は事実。

「事実」を発見できたら、あとは解決方法について話し合うだけだ。
複数の人間で話し合えば、複数のアイディアが出てくる。
そこから採用するアイディアはひとつだけ、もちろん「目標に一番近いもの」だ。
誰が提案したかは関係ない。

※会議には、最低限のルールがある。

議長を決めておくこと。資料を配っておくこと。所要時間を決めておくこと。話し合うことを箇条書きにしておくこと。議事録を作ること。主張するのは後、まずは相手の話を聞くこと。

CHAPTER3
HOW DO YOU MOVE?

5

自分の問題解決。

忙しいときこそ、自分に問いかけてみてほしい。
「このままのペースで、本当に間に合うのか？」
忙しくなってくると、だんだん目線が下がり、「虫の目」になってくるからだ。

作業をしているときは、「虫の目」の集中力が欠かせない。
しかし虫の目には、いま置かれている状況が見えていない。
ときどき「鳥の目」の大きな視野で、プロジェクト全体を見渡してみよう。
状況は刻一刻と変わっている。
段取りの階段がどこかで崩れていないだろうか。
のぼりきれないほどの、大きな段にぶつかっていないだろうか。

目標を変えなければ、段取りは何度でもやり直すことができる。
既存のやり方にしがみつく必要はない。
「これならいける！」という感触をつかめるまで、
いろんなやり方を試してみよう。

問題が起きたら、そのことを分析しよう。

決して、無視してはいけない。

無視すればするほど、化け物のように大きくなり、繁殖をしはじめる。

感覚が鈍りはじめ、やる気も奪われていくだろう。

すぐ台風の目に飛び込んだ方がいい。

早く取り組めば、それだけ早く解決できるはずだ。

複数の問題が同時に起こることもある。

それらは心の闇に放置せず、明るい紙の上に引っ張り出そう。

紙の上に書かれた問題は、想像しているよりもたいてい小さい。

それに問題はよくダブる。

それをトランプのババ抜きのように、手元から減らすこともできる。

さあ、今すぐ解決するべき問題はなにか。

どうすれば解決するのか。

いきなり動き出すことなく、一つひとつ丁寧に対処法を考えよう。

恐れる必要はない。

あなたの前では、解決可能な問題しか起きないからだ。

ある人は世界経済に頭を悩ませ、

ある人は隣の犬がうるさいことに悩んでいる。

もちろん犬の鳴き声に悩む人にとっても、世界経済の問題は無関係ではない。

でもそのことに、気づかされることはない。

問題はその人が超えられる範囲のものしか、

あらわれないし、見えないのだ。

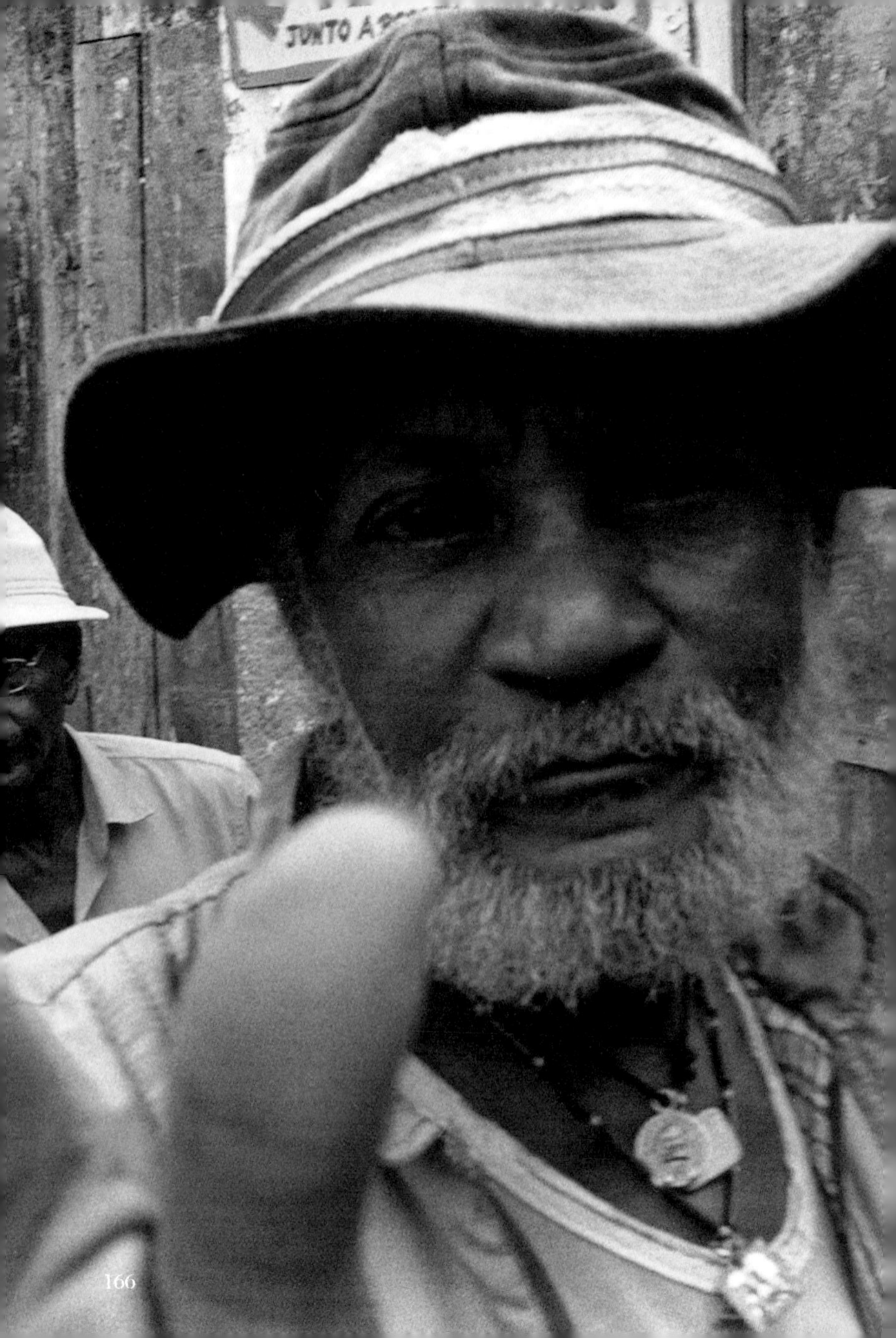
JUNTO A

HOW DO YOU MOVE?

実行　CHAPTER 3

CHAPTER3
HOW DO YOU MOVE? 6

仕事の先を読む。

ごはんを食べ終わったら、母に言われた。
「食器は流しに持っていって」

食器を持っていったら、母に言われた。
「水を張っておいて」

水を張ったら、母に言われた。
「他の食器にも、水を張って」

自分の仕事から仲間の仕事へ、今日の仕事から明日の仕事へ。
仕事のつなぎ目には、必ず「のりしろ」の部分が存在する。
のりしろの部分まで含めて仕事だと思う。
それは役目ではなく、愛情だ。

**CHAPTER3
HOW DO YOU MOVE?**

7

初速と終速。

プロジェクトが走り出したときの、
あのあの疾走感をどれだけ維持できるか？
鮮度こそがプロジェクトの生命力だ。

日々の作業に追われていると、「虫の目」だけになってくる。
虫の目になると、判断基準がブレる。判断基準がブレると、今自分がブレているかどうかわからなくなってしまう。

なぜ自分は今、これをやっているのか。
原点である最終的な目標を、見失わないように。
自分が忘れないように、仲間に忘れさせないように、何度でも言葉にしよう。

「これはいけるぞ！」という感覚が今ここにあるかどうか。
ワクワク感が、つねに人生の羅針盤だ。

ゴールにはなにが待っているのか。その先には一体なにが見えるのか。
ふくらみ続ける想像が、次の壁を突き破る力になる。

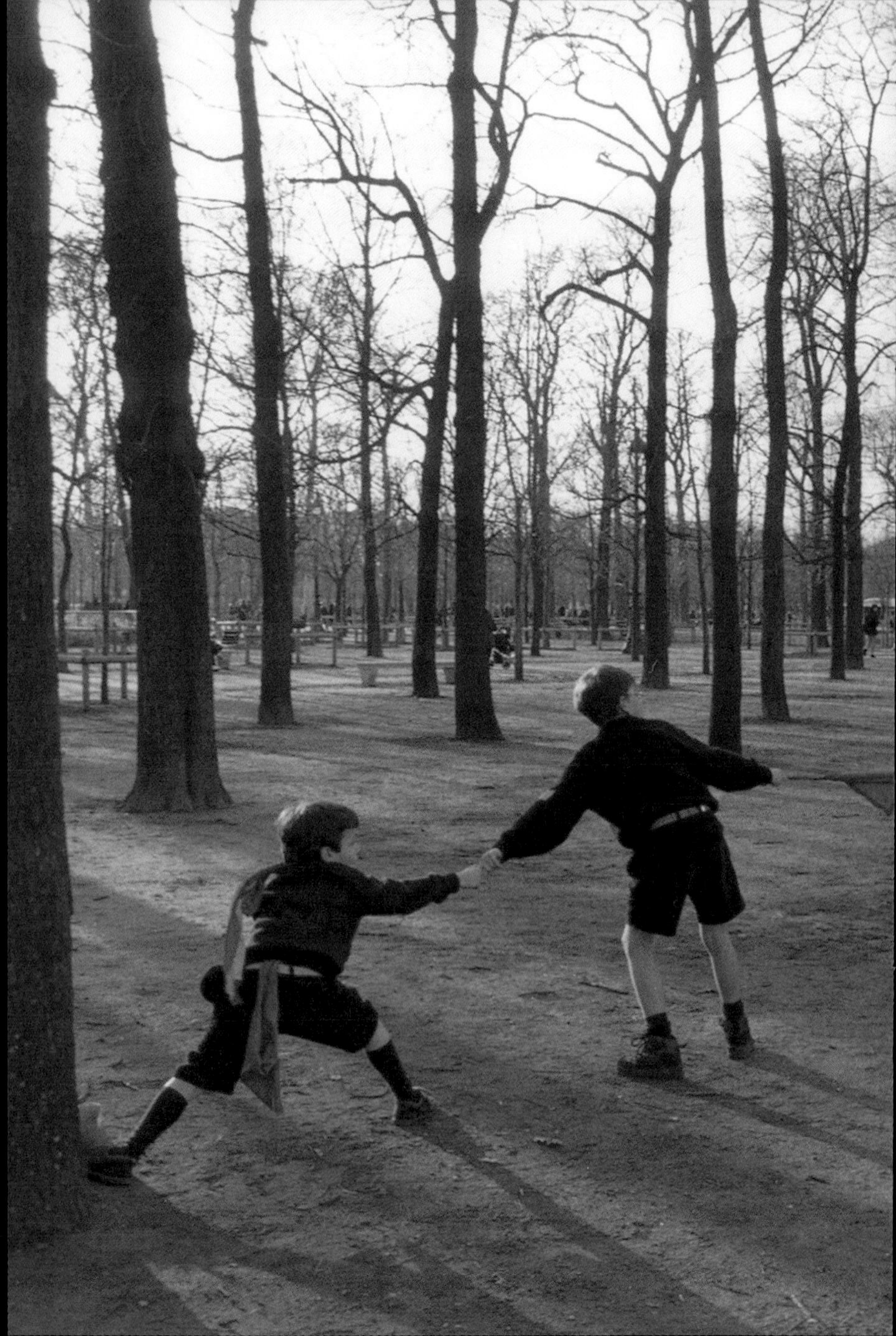

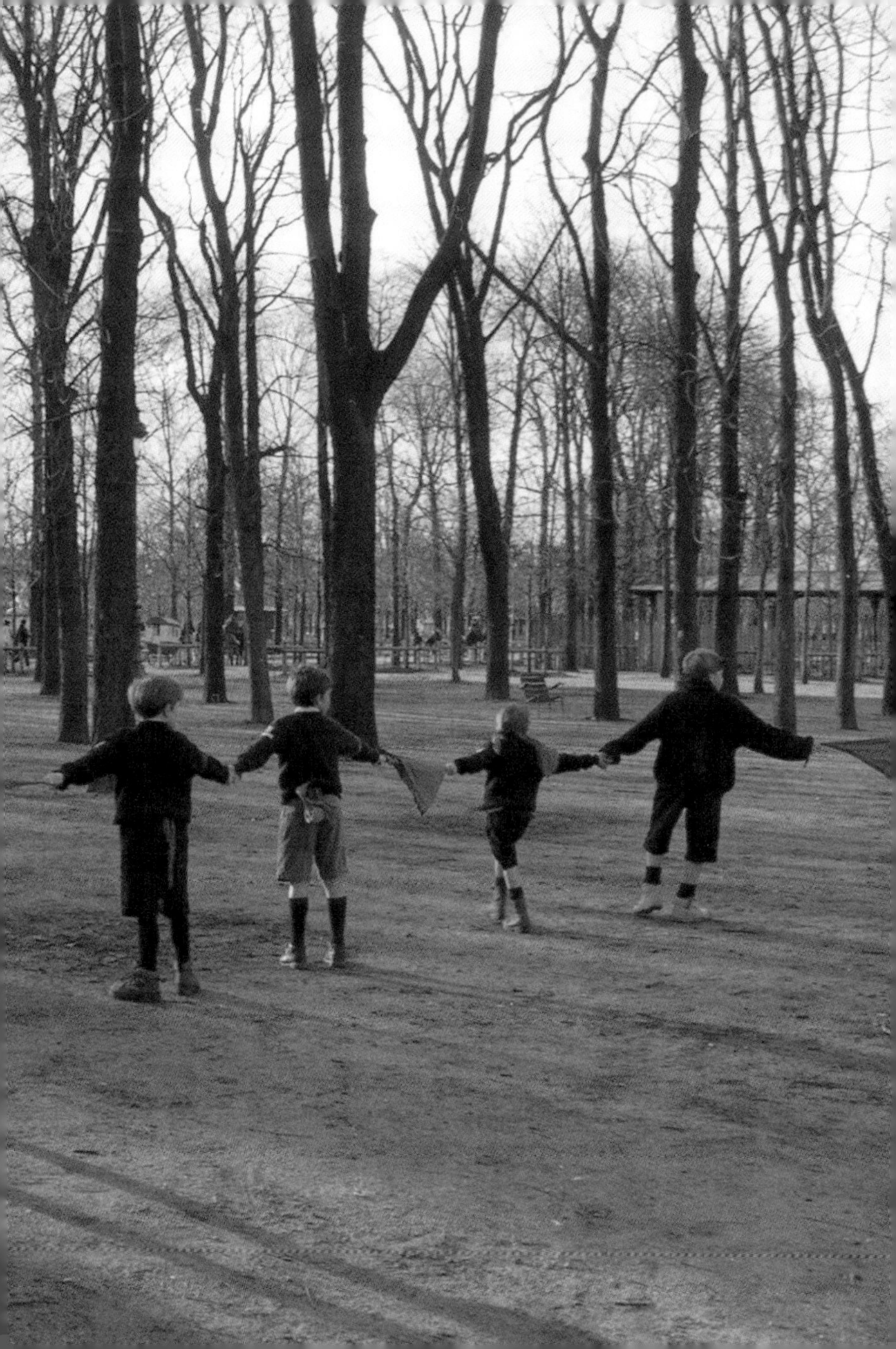

PROJECT OF LIFE 【四】

検証

What do you learn from the result?

CHAPTER4　結果からなにを学ぶか。

WHAT DO YOU LEARN FROM THE RESULT?

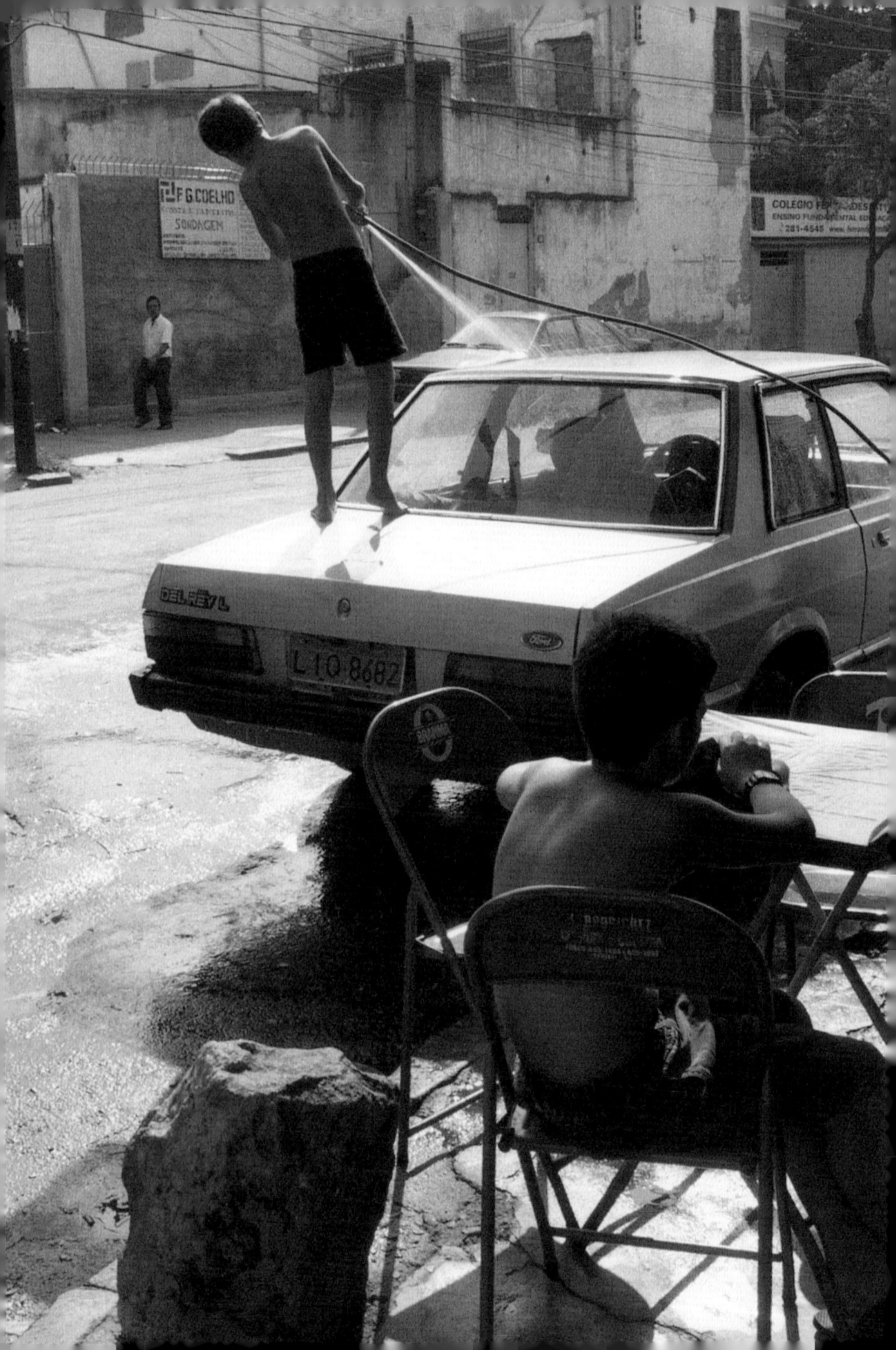
F.G.COELHO
SONDAGEM
DEL REY L
Ford
LIO 8682

結果からなにを学ぶか。
WHAT DO YOU LEARN FROM THE RESULT ?

仕事は終わった。
もう二度とやる気がないなら、これでやりっぱなしでいい。
でもきっとあなたのプロジェクトはまだまだ続くはずだ。

もしもタイムマシンで「プロジェクトをはじめた頃」に戻ったなら、次はどうする？
もっと小さな力で、同じ結果を出せるはずだ。
もっと少ない過程で、もっと素早く、簡単にできるはずだ。

起こした失敗は、目を背けることなく記録しよう。
知ることができたら、それが自分にとっての法則になる。
そして「失敗のコレクション」が充実するほど、これから頭を悩ませる場面が減っていくだろう。

プロジェクトからすべての「偶然」を無くし、
ノー天気なダンドリストをめざしてほしい。

CHAPTER4 1
WHAT DO YOU LERN FROM THE RESULT?

結果から学べ。

たとえプロジェクトが成功したとしても、
参加した仲間たちがボロボロだったら意味がない。

人を評価することを忘れない。
たとえ偶然でも、結果を出した人を賞賛する。
たとえ偶然結果を出せなくても、実力のある人を賞賛する。
たとえ結果や実力がともなわなくても、最後まで挑戦し続けた人を賞賛する。

人は評価されることでのみ、成長し続ける動物である。
「あなたががんばっていたことを、私は知っていました」のひと言で、すべてが報われる人もいるはずだ。

さあ、検証してみよう。

目標どおりの結果が出せたか？

目標を途中で変えなかったか？

目標を変えた後、段取りは狂わなかったか？

目標を変えることについて、関係者全員のOKは出たか？

予算はオーバーしなかったか？

予算の見積もりは正確だったか？

予算の割り振りに無理はなかったか？

予算をもっと削れるところはなかったか？

締め切りは守れたか？

もっと時間を短縮できるところはなかったか？

スケジュール通りに作業ができたか？

仲間とうまくやれたか？

仲間同士の連絡はスムーズだったか？

仲間の知識と技術は足りていたか？

忙しい人と、暇な人の差が生まれなかったか？

仲間のやる気は続いていたか？

そしてこのプロジェクトから、一体なにを学ぶことができたか？

CHAPTER4
WHAT DO YOU LERN FROM THE RESULT? **2**

次のプロジェクトへ。

ひとつのプロジェクトを終えた今、
あなたは達成感を味わっていることだろう。

のぼることが困難に見えた階段も、振り返れば眼下にある。
ずっと下から見上げていたものが、今では自分の手の中にある。
そこからしか見えない景色がある。

達成感はある種のエクスタシーになる。
そして誰もがもう一度、このエクスタシーを味わいたいと思う。
脳が求めるからだ。

知恵と体力の限りを尽くした今回のプロジェクトも、
次やってみたときには、少し退屈に感じるかもしれない。
同じレベルの仕事では、もう刺激を得られないかもしれない。
すると、あなたはより高き山をめざしたくなるだろう。
しかし達成感の味わい過ぎは危険だ。
心が完全に満たされると、人は動けなくなってしまうものだ。

ある目標を"達成"したら、今度はその目標の"完成"をめざしてもいい。
全力で取り組んでようやく到達できた目標を、
自分にとってはいつでも再現可能な"常識"にしていく。
あんなにすごいことを、なぜあの人はあっさりやってのけられるのだろう。
周囲から見れば不思議で仕方ないことも、
あなただけはそのカラクリを知っている。

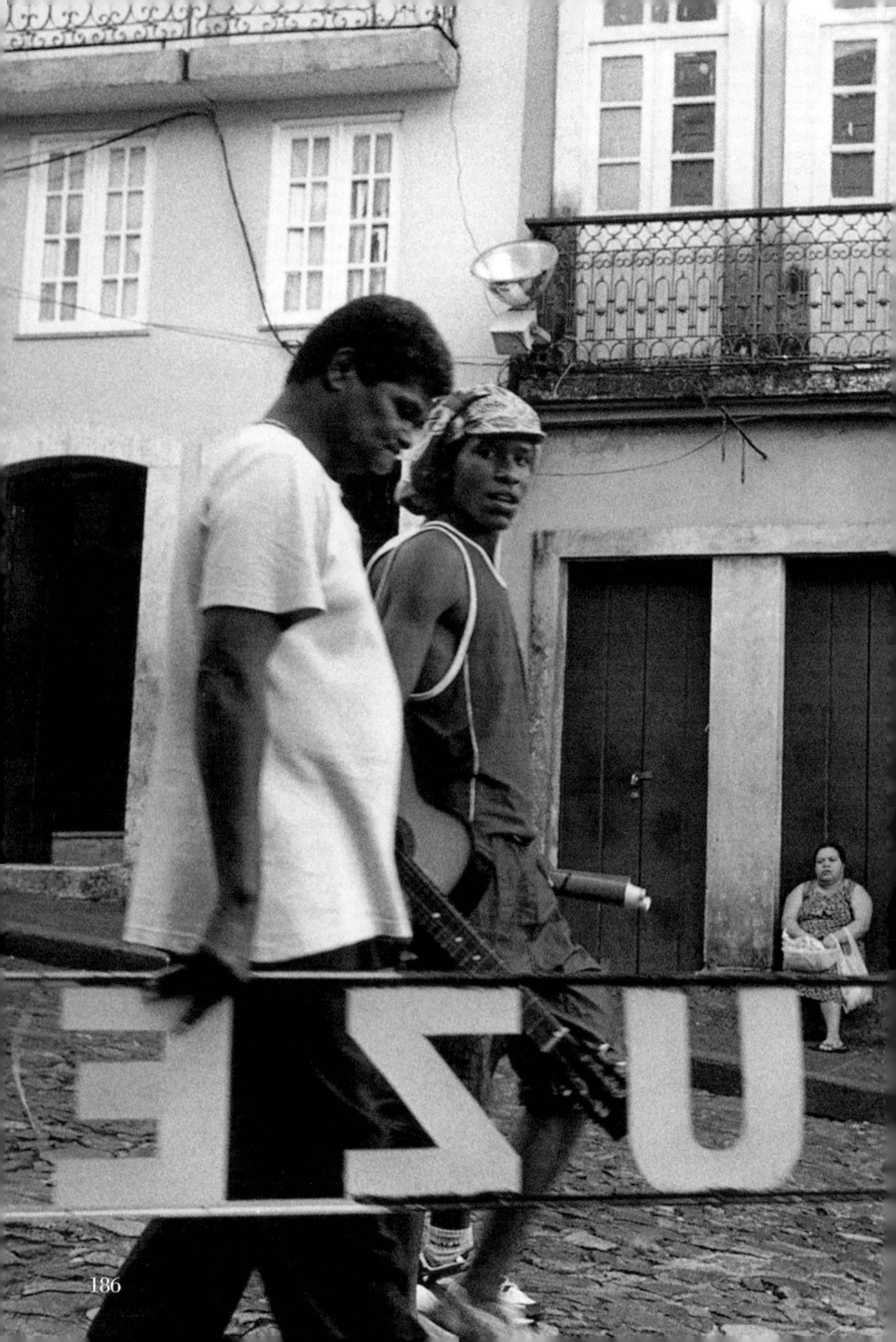

WHAT DO YOU LEARN FROM THE RESULT?

検証 CHAPTER 4

CHAPTER4
WHAT DO YOU LERN FROM THE RESULT? 3

もう一度、なにをめざすのか？

「めざす」と「がんばる」は違う。

「がんばっている」が「めざしていない」ときがある。

この違いは見分けにくいが、大きく違う。

「めざす」とは"目標と期限"が明確で、

その達成のために、意思を持って行動することである。

ある画家が、毎日、絵を描いていた。
誰が見ても「がむしゃらにがんばっている」姿だった。
しかし「個展をやろう」と決め、「日程」を決めたとたんに動きが具体的になった。

毎日、お母さんは料理を作っているが、コックにはならない。
一方で、初めて包丁を持ったときから「コックになること」を目標にした少年は、数年後、コックとして働いてる。

最小の努力で、最大の結果を出すために。
すべてはめざすことからはじまる。

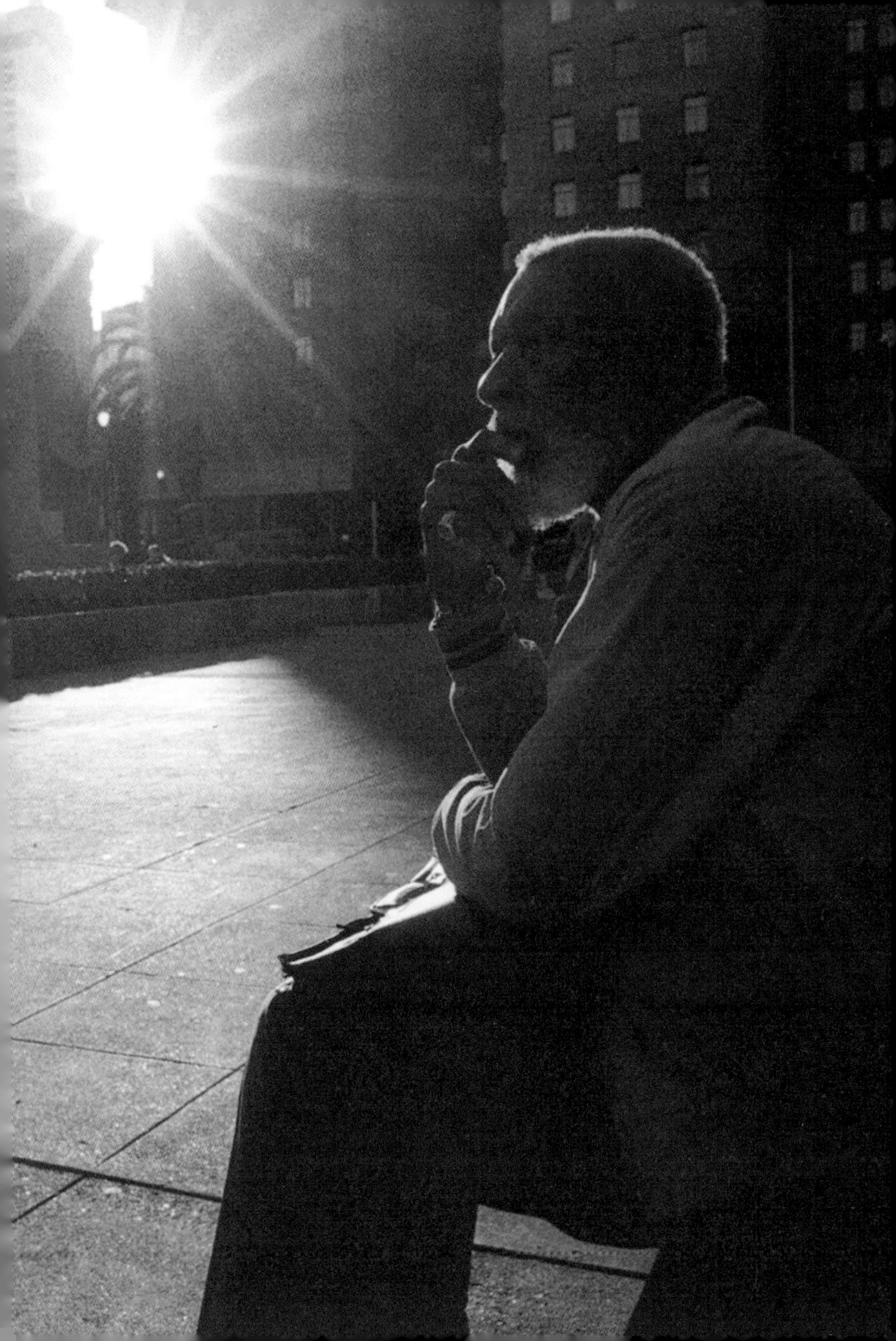

Epilogue

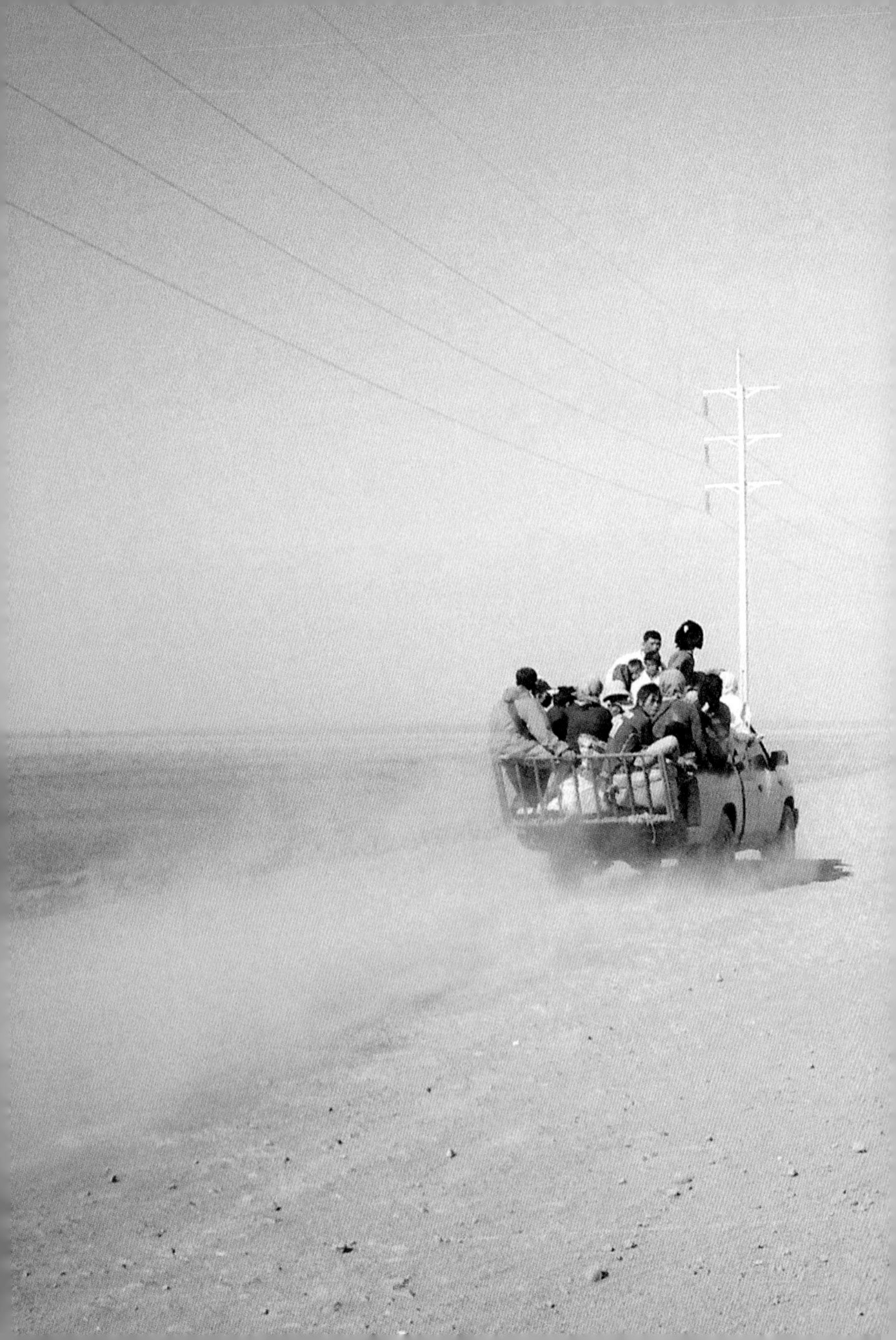

プロジェクトを立ち上げよう。
目の前には、真っ白な時間が横たわっている。

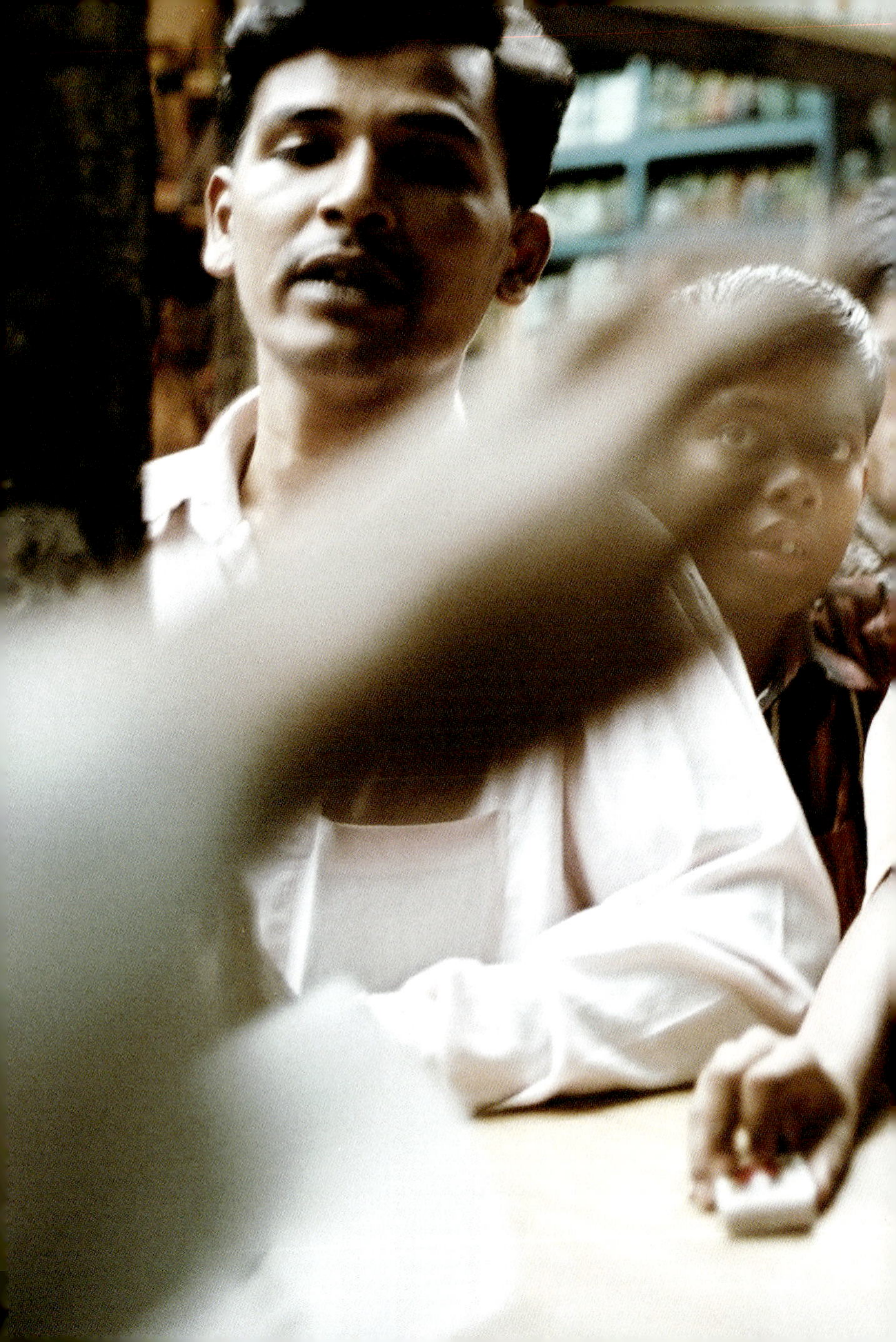

流れを変えるカードは待っていてもこない。
すでに自分の手の中にあるからだ。

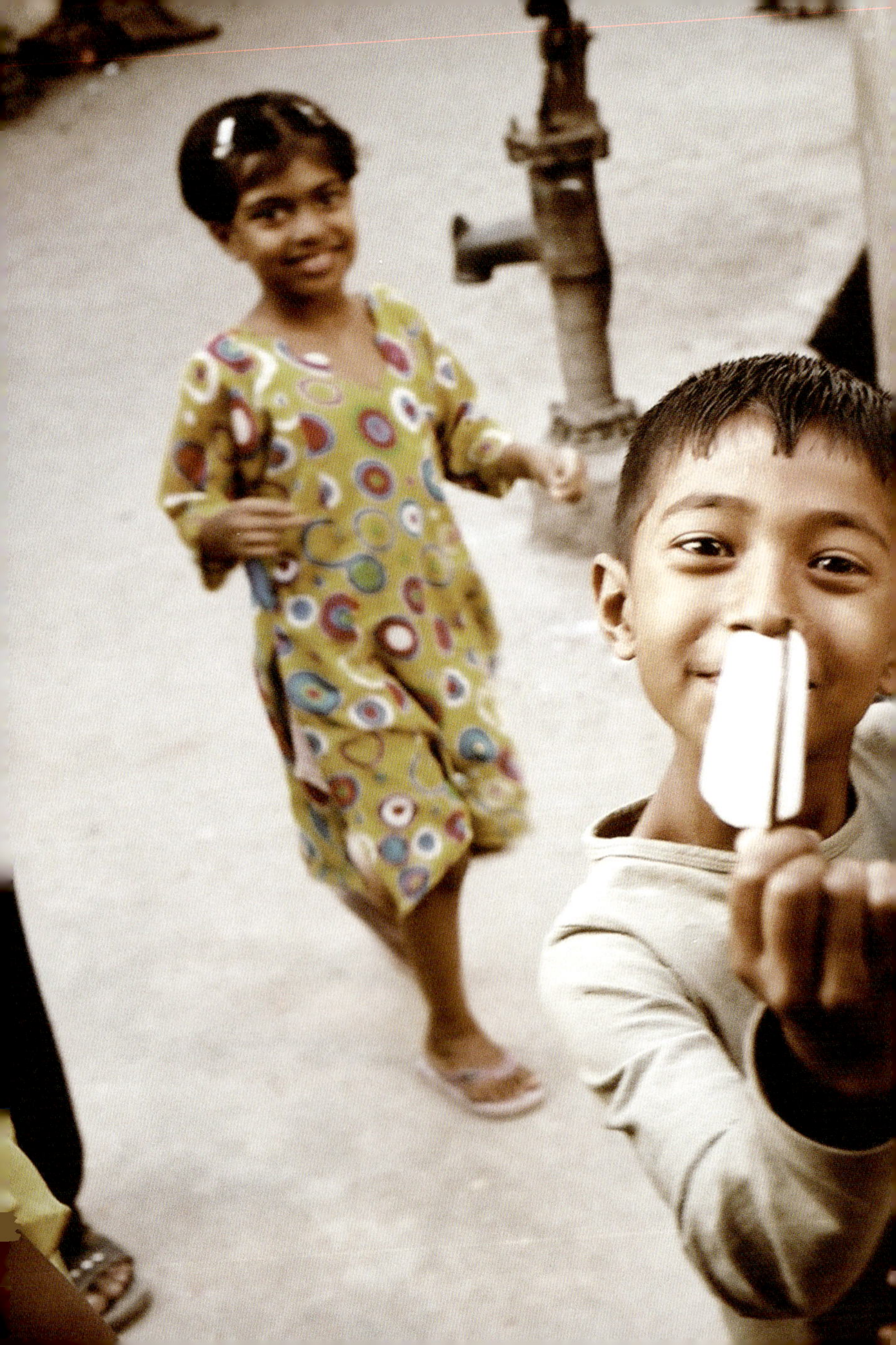

本当はいたるところに、
楽しいことが溢れている。

目を凝らせば、きっと見つかる。

光の妖精は、のぞめばいつでも舞い降りてくる。

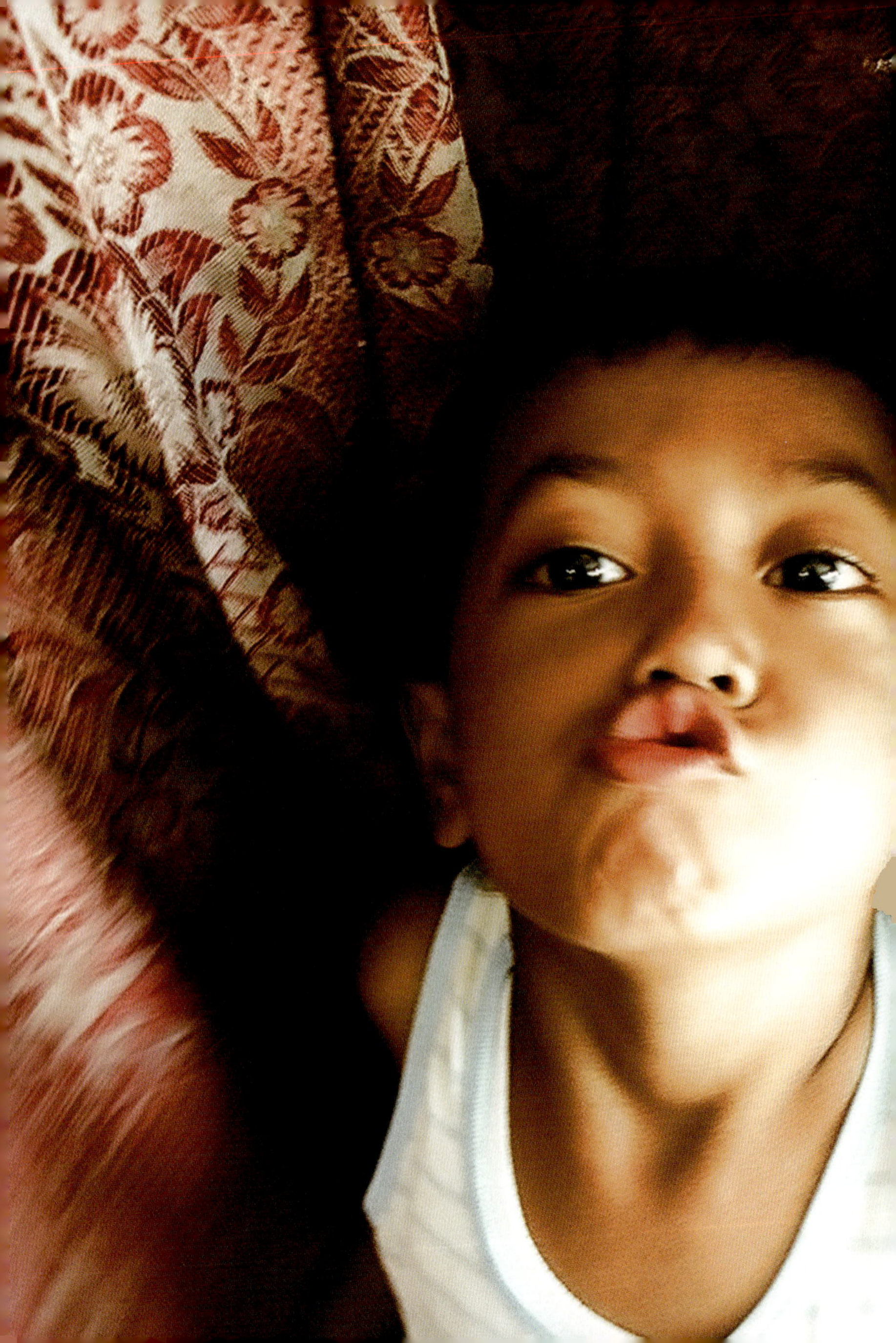

自分の美学と、

自分のスタイルを思い出せ。

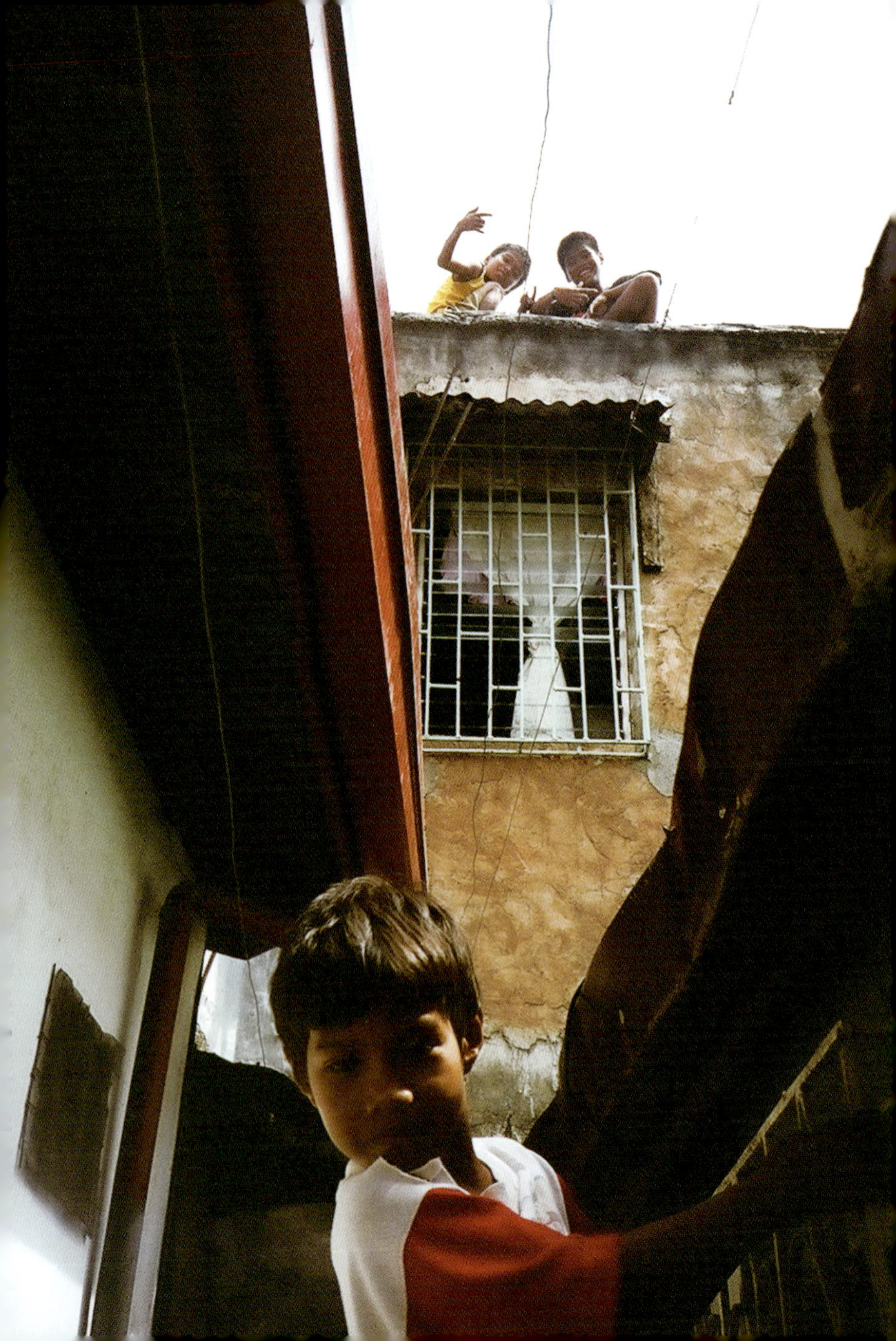

誰かが仕立てたストーリーではなく、
あなたからはじまるストーリーを。

子どもの頃からの憧れを、
仲間たちとの約束を、
守るべき人への愛情を、
あなたはすべて力に変えられるだろう。

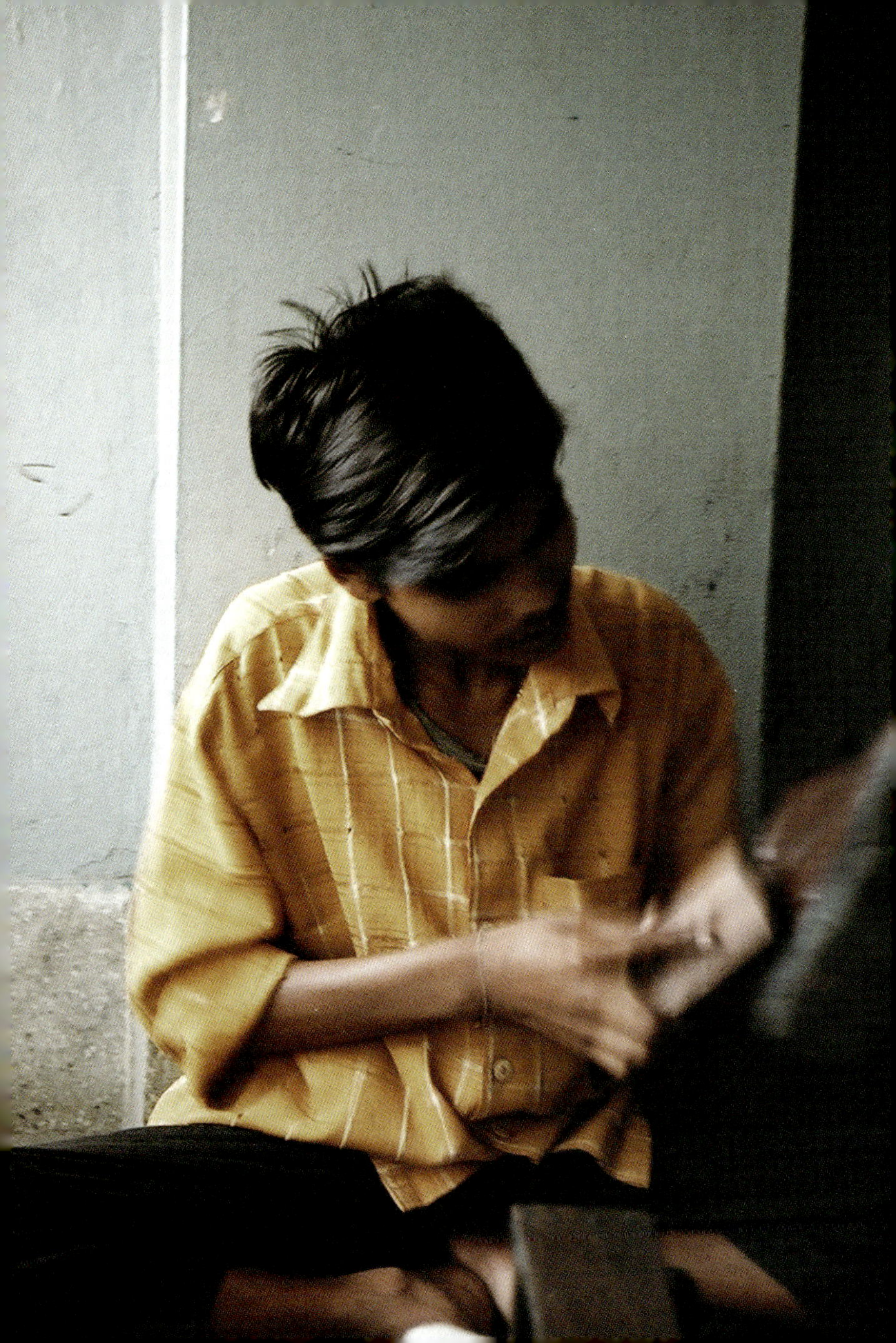

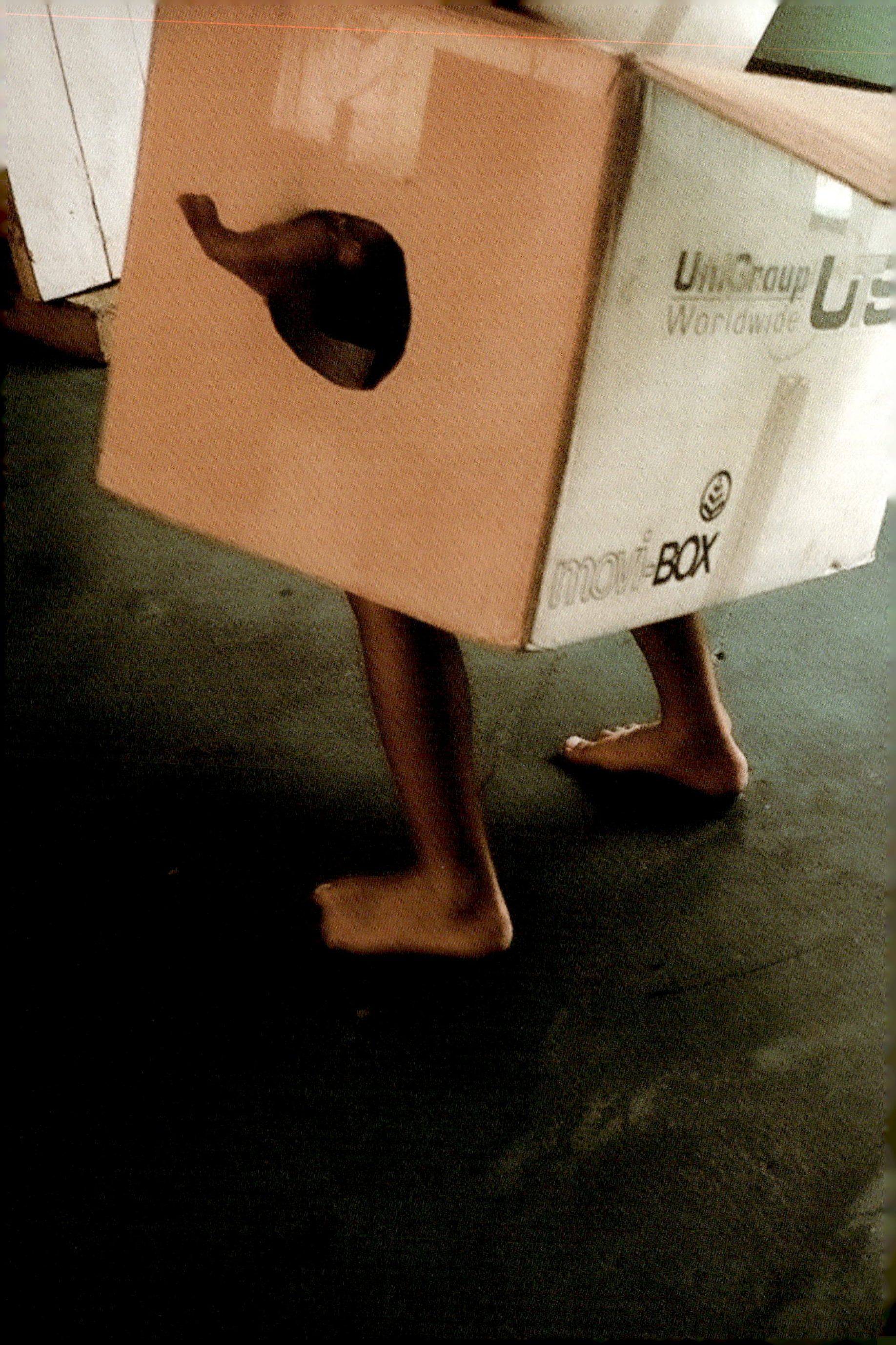
UniGroup
Worldwide
movi-BOX

Fake it until you make it !
できるまで、できるふりをしていなさい。

人生ではすごいことが、
いつもあっさり起きている。

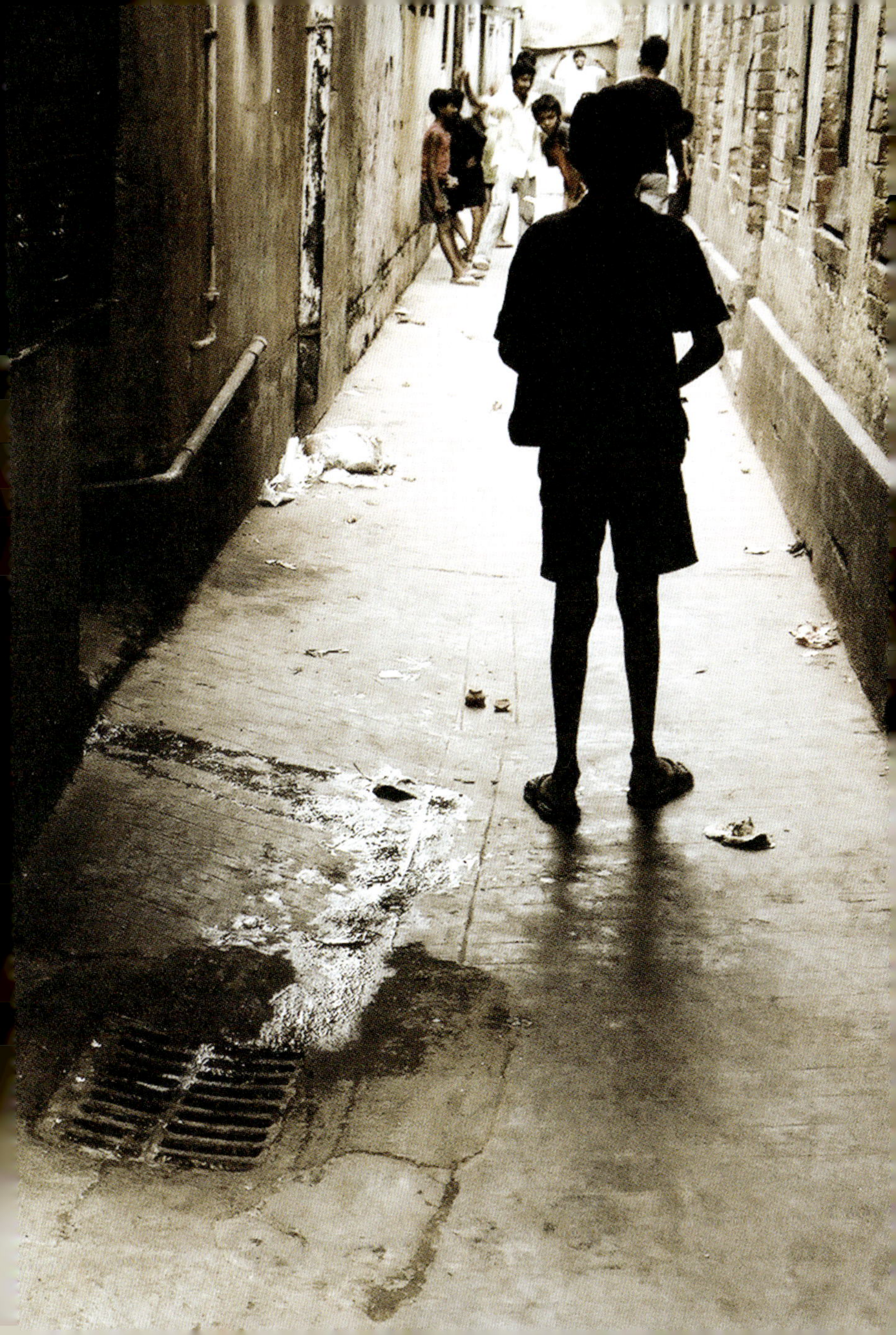

意識の手を未来に伸ばし、
なりたい自分に触れてみてほしい。

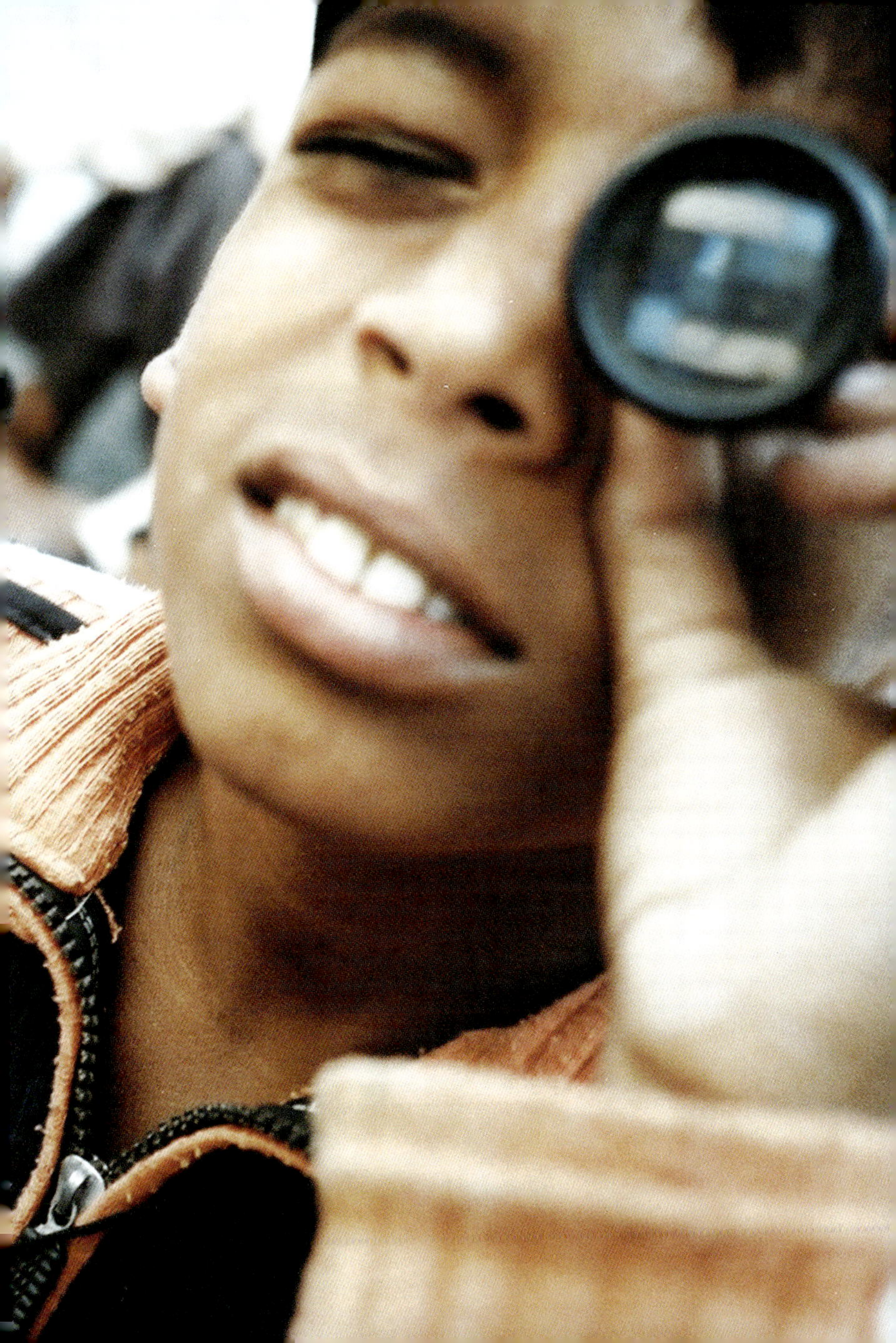

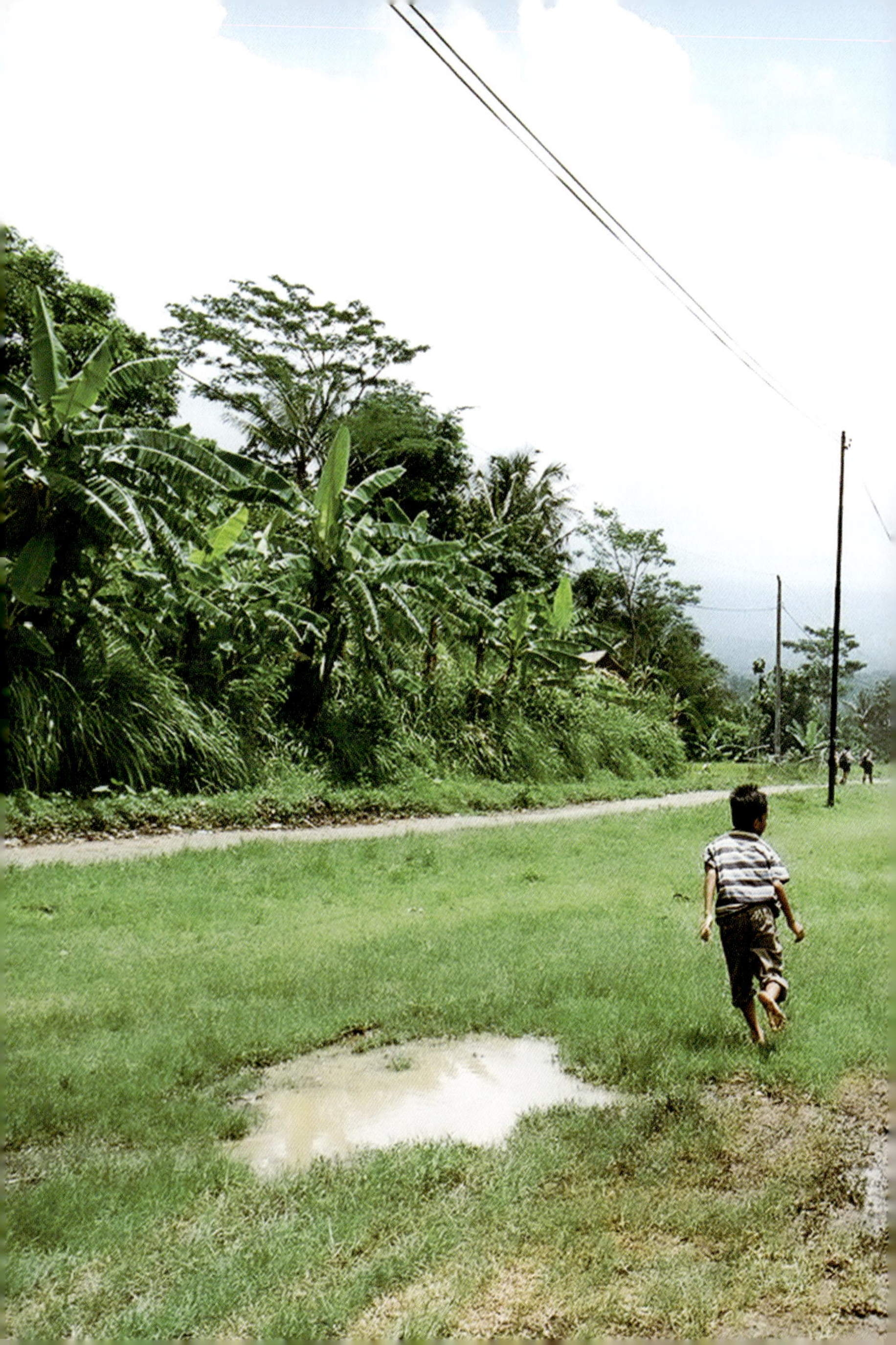

あなたに与えられた人生最高の贈り物は、
「人生を楽しんでいい」という権利なのだから。

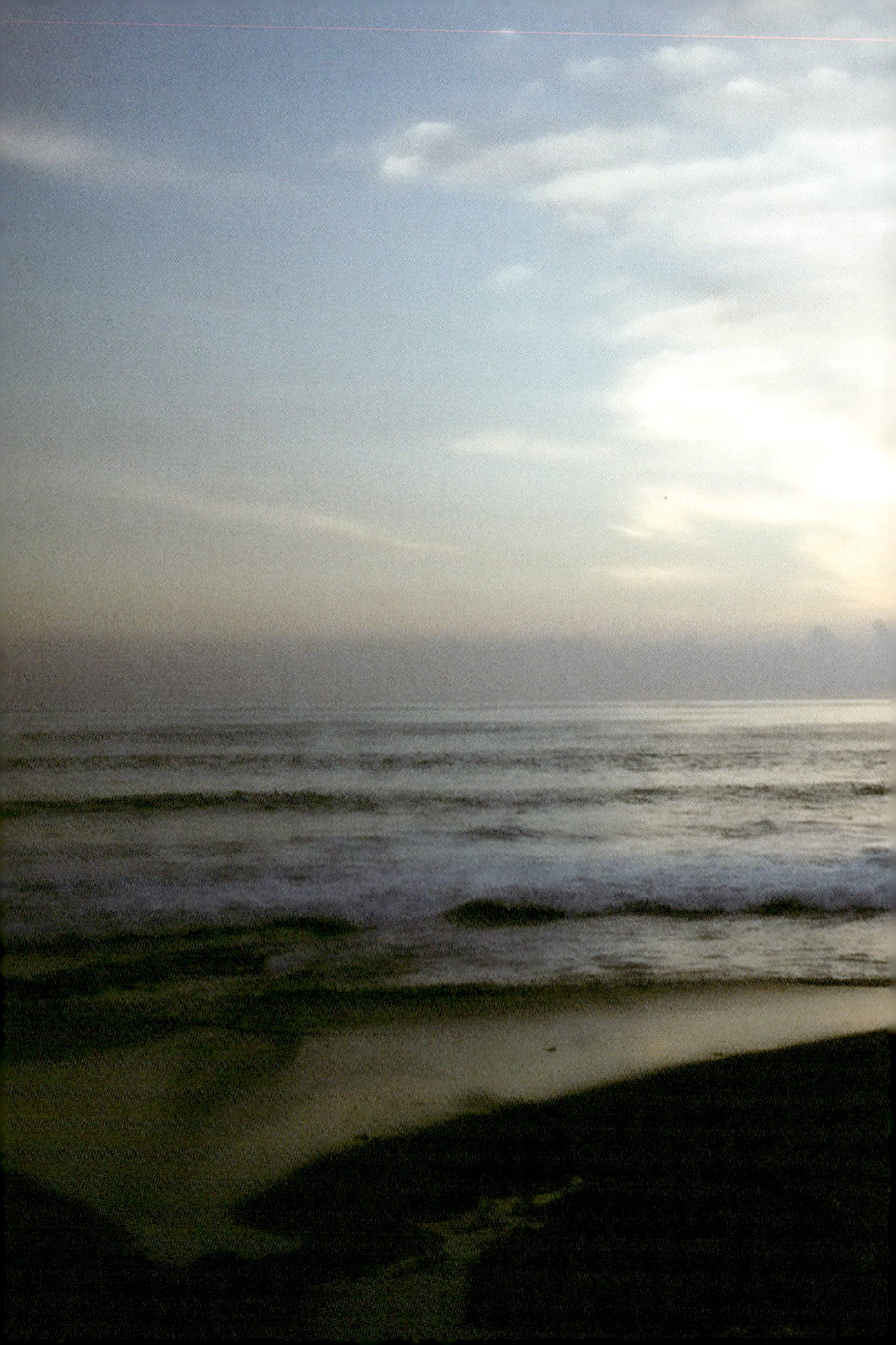

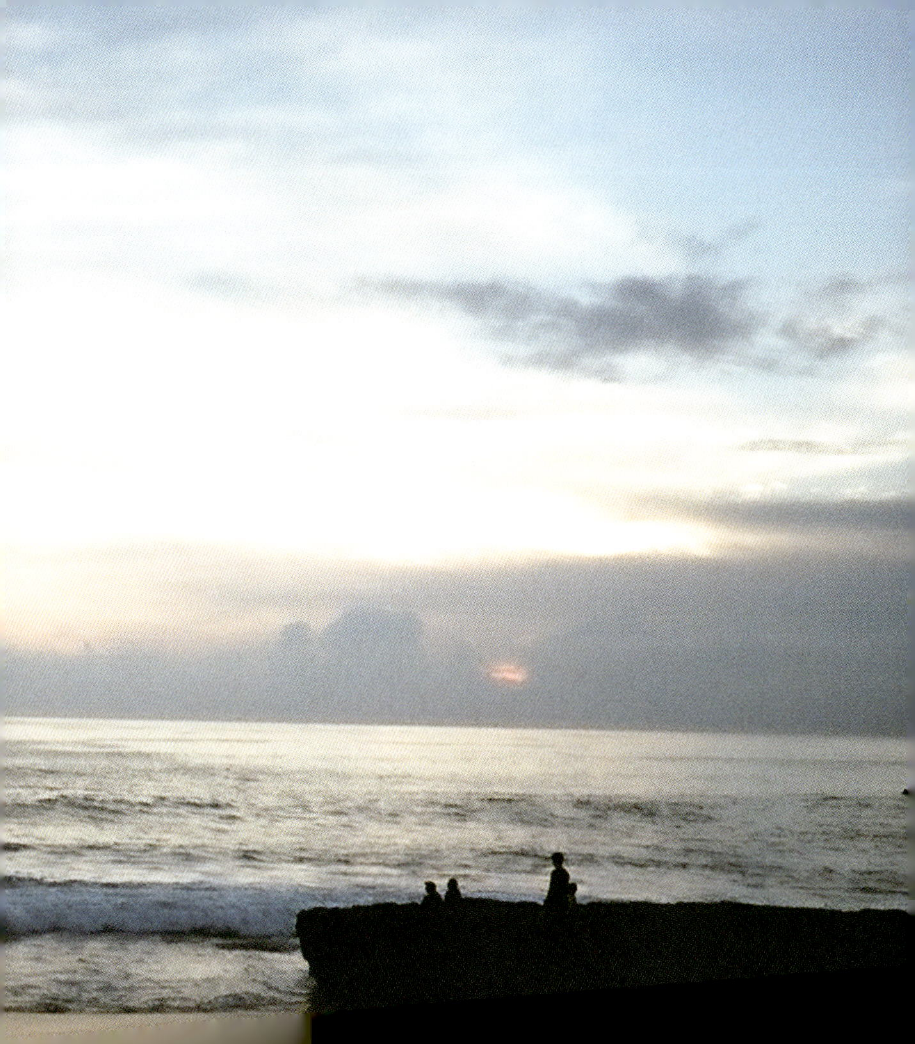

著者
山﨑 拓巳
Takumi Yamazaki

1965年三重県生まれ。広島大学教育学部中退。22歳で有限会社たくを設立し、現在は3社を運営。「凄いことはアッサリ起きる」—夢—実現プロデューサーとして"メンタルマネジメント""コミュニケーション術""リーダーシップ論"など多ジャンルにわたって講演活動中。並外れた話術とカリスマ性、斬新なビジネス理論で、男女を問わず多くの人々を魅了している。
著書には20万部突破のベストセラーとなった『やる気のスイッチ！』をはじめ、『人生のプロジェクト』『気くばりのツボ』『見えないチカラを味方につけるコツ』（いずれもサンクチュアリ出版）など。累計部数は110万部を突破。代表作『やる気のスイッチ！』は、英語版『SHIFT』として全米で刊行。他にも北京語、ハングル語、アラビア語などに翻訳され、広く海外で出版されている。

企画者
佐藤 大吾
Daigo Sato

1973年大阪府生まれ。一般財団法人ジャパンギビング代表理事、NPO法人ドットジェイピー理事長、株式会社JGマーケティング代表取締役CEO。
大阪大学法学部在学中に起業、その後中退。98年、若年投票率の向上を目的にNPO法人ドットジェイピーを設立。議員事務所、大使館、NPOなどでのインターンシッププログラムを運営。これまでに2万人を超える学生が参加、うち約60人が議員として活躍。2010年、英国発世界最大の寄付サイト「JustGiving」の日本版を立ち上げ、国内最大の寄付サイトへ成長（15年、ジャパンギビングへ改称)。日本における寄付文化創造にも尽力。

ONE AND ONLY.
一人の仕事が世界を作っている。

普通じゃないこと。
今まで誰もやろうとしなかったこと。
ありえないほど、手間と時間がかかること。

どれだけ面倒で、大変そうで、
プレッシャーを感じるとしても、
世界を変える仕事は、
あなたのワクワクからしか生まれない。

D ONLY.

人生のプロジェクト〈ONE AND ONLYシリーズ〉

2016年　6月25日　初版発行
2017年　12月11日　第2刷発行

著　者　山﨑拓巳
企画者　佐藤大吾
参　考　大阪商工会議所主催
　　　　「PWA検定（企画・計画・段取り力）公式テキスト」日本経済新聞出版社

発行者　鶴巻謙介

写真　大脇崇

装丁マンガ　佐藤広基

装丁・デザイン　井上新八

営業　市川聡（サンクチュアリ出版）
編集　橋本圭右（サンクチュアリ出版）

SPECIAL THANKS　高野幸生　畠山浩樹

発行・発売　サンクチュアリ出版
東京都渋谷区千駄ヶ谷2-38-1
〒151-0051
TEL 03-5775-5192／FAX 03-5775-5193
URL：http://www.sanctuarybooks.jp/
E-mail：info@sanctuarybooks.jp

印刷・製本　中央精版印刷株式会社

※本書の無断複写・複製・転載を禁じます。
©Takumi Yamazaki
©Daigo Sato
PRINTED IN JAPAN
落丁本・乱丁本はサンクチュアリ出版までお送りください。
送料小社負担にてお取り替えいたします。